P9-CEQ-708

Otra vez

El diario inédito del segundo viaje
por América latina (1953-1956)

ERNESTO CHE GUEVARA

OTRA VEZ

El diario inédito del segundo viaje por América latina (1953-1956)

EDITORIAL SUDAMERICANA
BUENOS AIRES

Edición:
María Cristina Eduardo Vázquez

Diseño de tapa:
María L. de Chimondeguy / Isabel Rodrigué

Diseño de interior:
Alexis Manuel Rodríguez Diezcabezas de Armada

Fotos:
Ernesto Guevara de la Serna
Ernesto Guevara March

Confección de mapas:
Rafaela Valerino Romero y Alexis Manuel Rodríguez D. de A.

Corrección:
Rafaela Valerino Romero y Marbelys Sánchez Águila

Sobre la presente edición:

Se agradece a Gianni Minà por haber hecho posible la publicación de este libro.

www.edsudamericana.com.ar

IMPRESO EN LA ARGENTINA

Queda hecho el depósito
que previene la ley 11.723.

Humberto I° 531, Buenos Aires.

ISBN: 950-07-1860-X

Nota al lector

Otra vez, *texto íntimo y testimonial; ineludible para penetrar en la férrea personalidad que lograra forjarse Ernesto Guevara de la Serna, en compañía de la palabra como cómplice permanente, donde entrelaza la ironía y el humor con la percepción profunda del entorno por el que transitaba en su afán de descubrir las tierras americanas, nos ofrece una panorámica dimensional de su propio futuro, imbuido de pensamiento y acción.*

Antecedentes de este Diario son las crónicas recreadas después de su primer viaje por el Continente, publicadas por esta misma editorial, llenas de aliento y juventud, en las que comunicó " el alegre impulso que llega hasta nosotros y va a perderse en el horizonte americano". [1]

El Diario que se presenta al lector, y como tal apuntes, es el preludio de su formación revolucionaria integral, que en su momento podrían haberse elaborado como relatos al igual que los primeros. Ante la ausencia de estos por incuestionables razones, su publicación se impone por el valioso legado histórico al testimoniar hechos decisivos en su trayectoria por "Nuestra Mayúscula América".

Para alcanzar una mayor comprensión del texto, se presenta una edición con anexos, donde el lector pueda sentirse compenetrado con el relato y asimile en toda su profundidad el tono reflexivo y puntual del mundo que este joven se propuso asumir en el decursar de su vida futura y ligado para siempre a uno de los acontecimientos más trascendentes del siglo XX, la Revolución Cubana.

A la pasión por la escritura, de forma permanente, lo acompaña la fotografía, como un complemento vital en sus ansias por profundizar en su entorno. En el texto que se presenta se añaden fotos inéditas del recorrido, como testimonio viviente de la multi-

[1] *Ernesto"Che" Guevara.* Notas de viaje. *Ediciones Abril, 1992.*

plicidad de experiencias acumuladas y su deseo de dejarlas plasmadas en imágenes, que expresan su fina sensibilidad y pasión para captar todo lo que en su andar lo estremeciera.

Archivo Personal del Che

Prólogo

Prologar un libro escrito por un hombre cuya obra y vida lo convierten en paradigma de ser humano es una tarea difícil, ya que se corre el riesgo de caer en la tentación de transformar a ese ser en un mito alejado de la realidad que lo rodeó durante su vida.

Pero dicha dificultad es aún mayor cuando el que lo escribe tuvo la enorme dicha de ser partícipe de la transformación de "sueños de lujuriosos viajes" en realidades concretas.

Por eso, como parte del medio que lo circundó, los que gozamos de su amistad y pudimos palpar su capacidad moral e intelectual, por encima de la media de la humanidad, tenemos que tener presente siempre, que este gran amigo es sólo un hombre y solamente un hombre y no un ser mitológico.

Consecuente con ese ideal, es que acepto la responsabilidad de ser yo, su amigo de siempre –desde un lejano octubre de 1942–, quien haga la introducción de su segundo diario de viaje por América Latina y que premonitoriamente titulara Otra vez.

Se trata de un vívido relato a lo largo del cual se encuentra al Ernesto Guevara de la Serna de carne y hueso, que, con sus temerarios 25 años, nos va mostrando las diversas facetas de una personalidad en proceso formativo, que se propone enfrentar todas las dificultades, expresadas sintéticamente, cuando emprende viaje con su amigo Carlos Ferrer (Calica) son: "dos voluntades dispersas extendiéndose por América sin saber precisamente qué buscan ni cuál es el norte".

Sin embargo, a partir de la decisión de dejar el trillado camino que se le ofrecía en Venezuela, para ir a conocer y participar en la revolución que se estaba llevando a cabo en Guatemala, ya se palpa la transformación que se está operando y se experimenta la certeza de que ha encontrado el camino buscado.

Si el primer recorrido por Sudamérica le sirvió para hacer más profundas sus convicciones sobre las diferencias sociales y lo sensibilizó con la importancia de luchar contra ellas, en su segundo viaje va consolidando sus conocimientos políticos y se acrecienta la necesidad de profundizar en sus estudios, para determinar con mayor claridad el porqué y el cómo de una lucha que culminara en una revolución verdadera.

Con los ojos del recuerdo, recreo esa despedida, en medio de sus familiares y amigos, que sin entender el porqué pero siguiendo la conducta formal de despedir a un miembro de su grupo o clase que sale a buscar nuevos horizontes, la lleva a cabo, aunque en este caso el que se va lo hace rompiendo todos los cánones del grupo a que pertenece y contradiciendo todos los esquemas preestablecidos.

Lo veo vestido con la ropa de "fagina" del ejército argentino, pantalón estrecho, camisa rústica, y borceguíes con los cordones seguramente desamarrados, no por un signo de desidia, sino para ser consecuente con su escala de valores, donde el atuendo no es lo más importante.

Así, colgado del vagón de segunda clase con su amplia sonrisa, erguida la cabeza semi rapada, el "pelao Guevara" de siempre, se va alejando del andén porteño y va entrando en la historia.

A partir de ese momento, a lo largo de las páginas del Diario, aparecen en un alucinante caleidoscopio todo lo que considera digno de ser anotado y siempre presente, en permanente simbiosis, el estilista literario y el observador profundo.

De la visita a Bolsa Negra hace una descripción muy vívida del paisaje que rodea la mina y luego agrega: "Pero la mina no se sentía palpitar. Faltaba el empuje de los brazos, que todos los días arrancan la carga de material a la tierra y que ahora estaban en La Paz defendiendo la Revolución por ser el 2 de agosto, día del indio y de la Reforma Agraria."

Se puede encontrar en este párrafo, en apretada síntesis, lo que para Ernesto ya comenzaba a ser un axioma: la importancia del hombre en todas las actividades de la vida. Pero al mismo tiempo dicho con la belleza de un literato de fuste.

Otro de los aspectos a resaltar en el Diario es su prematura multiplicidad, patente en las numerosas y diversas actividades que lleva a cabo en el corto período de su viaje.

Es así que emprende tareas tan disímiles como dar una conferencia sobre las actividades docentes en la Universidad de Buenos Aires o discurrir sobre investigaciones con el eminente fisiólogo español P. Suñer, víctima de la persecución franquista.

Comienza una serie de intercambios con personalidades con quienes discutió y muchas veces discrepó.

De cada una de las entrevistas hace un balance crítico y se observa con asombro la cantidad de aciertos que se encuentran en estos análisis, vistos a la luz de casi medio siglo de distancia.

Al llegar a Costa Rica, conoce a varios exiliados políticos, entre ellos dos que tendrán una actuación política de trascendencia en sus respectivos países donde llegarían a la presidencia de los mismos.

De la entrevista con Juan Bosch, dominicano, y Rómulo Betancourt, venezolano, surge espontáneamente una pregunta, ¿cómo este joven desconocido, desprejuiciado en el atuendo, incisivo y crítico en el diálogo, pudo romper el cerco oficioso que los rodeaban?

La respuesta no es fácil pero lo real es que intercambió con ellos y al hacer las conclusiones de esos encuentros, éstas no pueden ser más exactas.

A Bosch lo retrata tal como fue en su actividad gubernamental, en pocas palabras. Respecto a Betancourt, anticipa con crudo realismo la conducta que llevaría a cabo Rómulo, tanto en sus años de presidente de Venezuela, como al frente de la maquinaria electoral de Acción Democrática, desde donde entregó las grandes riquezas a las transnacionales de los Estados Unidos.

No falta en el Diario un toque de alegría y vitalidad y junto al hombre de ideas, hallamos al joven vigoroso, lleno de energías, sensible a la presencia femenina, capaz de darle un poco de cariño y consuelo a "la negrita Socorro" sin traicionarse a sí mismo y juzgar la aventura con auténticos matices.

Extraordinariamente importante resultan los pasajes descritos de su estancia en México, por la diversidad de interés y facetas. Visita museos, admira los murales de Orozco, Rivera, Tamayo y Siqueiros, y recorre las fascinantes pirámides aztecas, sin olvidar sus verdaderos objetivos. A la fascinación de la cultura mexicana le agrega un toque determinante e irreversible, cuando escribe que hará "una vida de proletario".

De esa forma, no se deja tentar por las ayudas que le ofrecen los Ulises Petit de Murat, Hilda, Petrona, su propia tía Beatriz, que lo llevarían a un camino burgués. Permanece en su estatus proletario con "la rutinaria cadena de esperanzas y desengaños" que caracterizan la vida de esta clase durante la lucha por la toma del verdadero poder.

Esa actitud nueva frente a los problemas políticos que lo rodean, queda claramente expuesta en una discusión, que reproduce, con un grupo de exiliados argentinos en México. Éstos querían enviar una nota de apoyo al nuevo gobierno argentino, surgido después del derrocamiento de Perón. En esa reunión Ernesto solicita que antes de apoyar a dicho gobierno "se esperara que este llevara a cabo actos concretos, como la democracia sindical, y la conducta económica".

Unido al espíritu proletario, surge en él, más potente que nunca, su gran sentido de solidaridad: así como compartió, en el primer viaje, su manta de abrigo, con la pareja de obreros en la fría noche del altiplano chileno, ahora en México, pese a las penurias económicas que sufre, busca y consigue dinero ($150,00) para ayudar a su amigo El Patojo, a quien aconseja retornar a Guatemala al lado de su madre que necesita de su apoyo económico y afectivo.

En las últimas páginas se encuentran perfectamente perfiladas las tres grandes líneas de conductas que han demarcado su vida durante sus primeros cinco lustros. Su afición y capacidad para la ciencia; su deambular entre viajeros curiosos y el estudio de la naturaleza y las civilizaciones en compañía de sus amigos y tercera, la necesidad de participar en una Revolución verdadera.

Como ilustración de lo anterior, se pueden apreciar los comentarios acerca de la presentación en Guanajuato de su trabajo sobre alergia, y sopesa la posibilidad de hacer ciencia investigativa y medicina humana.

En esos días, al comentar también sobre su futuro, se refiere a una presunta reunión en Caracas con los Granados, y aunque la considera como posibilidad, es más bien un pensamiento fugaz y concesión al llamado de los amigos, que una firme resolución. Queda claro, y especialmente para mí, que ya la forma de actuar y de pensar dista mucho de aquel Fuser de 1952 con quien compartí momentos irrepetibles. Siguen presentes sus deseos de viajar e investigar, pero se siente la férrea convicción de no volver a ser semicientífico, semibohemio, semirrevolucionario, sino de entregarse de lleno al gran salto decisivo.

Por azares de la vida en ese duro mes de agosto conoce a Fidel, en quien encuentra el aliento y apoyo que necesitaba.

Es por eso que si se dijera que en su diario existe poco espacio para la descripción de un encuentro tan importante en el futuro, ¿estaré equivocado cuando pienso que en el instante de escribir esas líneas dijo para sí, parafraseando al Maestro: Hay cosas que en silencio han tenido que ser...*?*

Alberto Granado
La Habana, agosto de 1998

Otra vez

El sol nos daba tímido en la espalda mientras caminábamos por las lomas peladas de la Quiaca. Repasaba mentalmente los últimos acontecimientos. Esa partida tan llena de gente, con algunos lloros intermedios, la mirada extraña de la gente de segunda que veía una profusión de ropa buena, de tapados de piel, etc., para despedir a dos *snobs* de apariencia extraña y cargados de bultos. El nombre del ladero ha cambiado, ahora Alberto[1] se llama Calica; pero el viaje es el mismo: dos voluntades dispersas extendiéndose por América sin saber precisamente qué buscan ni cuál es el norte.

En torno a los cerros pelados una bruma gris da tono y tónica al paisaje. Frente nuestro un débil hilo de agua separa los territorios de Bolivia y Argentina. Sobre un puentecito minúsculo cruzado por las vías del ferrocarril las dos banderas se miran la cara, la boliviana nueva y de colores vivos, la otra vieja, sucia y desteñida, como si hubiera empezado a comprender la pobreza de su simbolismo.

Conversamos con algunos gendarmes y nos dicen que hay un cordobés de Alta Gracia, nuestro pueblo de la infancia, trabajando con ellos. Es Tiqui Vidora, uno de mis compañeros de juegos de la infancia. Extraño reencuentro en el rincón septentrional de la Argentina.

Fue el dolor de cabeza y el asma quienes intransigentes me obligaron a frenar. Por eso pasaron tres días especialmente aburridos en el pueblito hasta que zarpamos con rumbo a La Paz.

La noticia de que andábamos en segunda clase provocaba una inmediata indiferencia hacia nuestro viaje. Todavía es importante la noticia de que puede haber una buena propina, aquí y en cualquier lado.

Ya en territorio boliviano, tras de un reparo superficial de la aduana argentina y chilena, seguimos sin inconveniente.

[1] *Recuerda a su amigo Alberto Granado, quien lo acompañara en su primer recorrido por algunos países de América Latina, y menciona a Carlos Ferrer (Calica), su compañero en este segundo viaje por el continente, que se inicia el 7 de julio de 1953. (Todas las notas del Diario son del Archivo Personal del Che.)*

Desde Villazón camina el tren pachamentamente hacia el norte, entre cerros, quebradas y vías de una aridez total. El verde es un color prohibido.

El tren desmigaja su desgano sobre las áridas pampas donde el salitre comienza a hacer su aparición, pero llega la noche y todo se pierde en medio de un frío que va tomando paulatinamente todo. Tenemos camarote ahora pero, a pesar de todo, de las mantas adicionales, un frío tenue se infiltra en los huesos.

A la mañana siguiente las botas están heladas y producen una sensación molesta con los pies.

El agua de los lavatorios y hasta de las garrafas está congelada.

Con la cara sucia y despeinados vamos al vagón comedor con cierta desconfianza, pero las caras de nuestros compañeros de viaje nos dan tranquilidad de muchos.

A las 4 de la tarde se asoma el tren a la quebrada donde está La Paz. Una ciudad chica pero muy bonita se desperdiga entre el accidentado terreno del fondo, teniendo como centinela la figura siempre nevada del Illimani. La etapa final de unos cuantos kilómetros tarda más de una hora en completarse. El tren parece que fuera a escapar tangentemente a la ciudad, cuando torna y continúa su descenso.

Es un sábado a la tarde y la gente a la que estamos recomendados es muy difícil de encontrar, de modo que nos dedicamos a vestirnos y sacarnos la roña del viaje.

Ya empezamos el domingo a recorrer a nuestros recomendados y a ponernos en contacto con la colonia argentina.

La Paz es la Shanghai de América. Una riquísima gama de aventureros de todas las nacionalidades vegetan y medran en medio de la ciudad policroma y mestiza que marcha encabezando al país hacia su destino.

La gente llamada bien, la gente culta se asombra de los acontecimientos y maldice la importancia que se les da al indio y al cholo, pero en todos me pareció apreciar una chispa de entusiasmo nacionalista frente a algunas obras del gobierno.

Nadie niega la necesidad de que acabara el estado de cosas simbolizado por el poder de los tres jerarcas de las minas de estaño, y la gente joven encuentra que éste ha sido un paso adelante en la lucha por una mayor nivelación de personas y fortunas.

El 15 de julio a la noche hubo un desfile de antorchas largo y aburrido, como ejemplo de manifestación pero interesante por la forma de expresar su adhesión que era en forma de disparos de Mauser o "Piri-pipí", el terrible fusil de repetición.

Al día siguiente pasaron en interminable desfile gremios, colegios y sindicatos haciendo cantar la Mauser con bastante asiduidad. Cada tantos pasos uno de los directores de las especies de compañías en que estaba fraccionado el desfile gritaba: "Compañeros del gremio tal, viva La Paz, viva la independencia americana, viva Bolivia; gloria a los protomártires de la independencia, gloria a Pedro Domingo Murillo, gloria a Guzmán, gloria a Villarroel." El recitado se efectuaba con voz cansina a la que un coro de voces monótonas daba su marco adecuado. Era una manifestación pintoresca pero no viril. El paso cansino y la falta de entusiasmo de todos le quitaba fuerza vital, faltaban los rostros enérgicos de los mineros, según decían los conocedores.

Por la mañana de otro día tomamos un camión para ir a las Yungas. Al principio subimos hasta alcanzar los 4 600 metros en el lugar llamado la Cumbre para bajar luego lentamente por un camino de cornisa al que flanqueaba un profundo precipicio en casi todo su recorrido. Pasamos en las Yungas dos días magníficos, pero faltaban en nuestro acervo dos mujeres que pusieran la nota erótica como matiz necesario al verde que nos rodeaba por todos lados. Sobre las laderas vegetadas que se despeñaban hacia un río distante abajo, varios centenares de metros, y custodiados por un cielo nublado, se desperdigaban cultivos de cocos con sus típicos grados, de bananeras que a la distancia semejan hélices verdes emergiendo de la selva, de naranjos y otros citros, de cafetales enrojecidos de frutos; todo matizado por la raquítica figura de un papayo con una configuración que recuerda algo la estática figura de la llama y de otros frutales y árboles del trópico.

En un rincón había una granja escuela de los curas salesianos que uno de ellos, alemán, nos mostró con toda gentileza. Una gran cantidad de frutas y hortalizas se cultivan allí con todo esmero. No vimos los niños, que estaban en clase, pero al hablar de otras granjas similares en Argentina y Perú, me trajo el recuerdo de la indignada exclamación de un maestro pureño: "Ya lo dijo un educador mexicano, es el único lugar del mundo donde se trata mejor a los animales que a la gente." Yo no le contesté, pero el indio sigue siendo una bestia para la mentalidad del blanco, sobre todo si es europeo, por más hábitos que lleve.

La vuelta la hicimos en la camioneta de unos muchachos que habían pasado el fin de semana en el mismo hotel. Llegamos con una curiosa facha a La Paz, pero rápido y relativamente cómodos.

La Paz, ingenua, cándida como una muchachita provinciana, muestra orgullosa sus maravillas edilicias. Visitamos sus nuevos edificios, la Universidad de bolsillo desde cuyas terrazas se domina toda la ciudad, la biblioteca municipal, etc.

La belleza formidable del Illimani difunde su suave claridad, eternamente nimbado por ese halo de nieve que la naturaleza le prestó por siempre. En las horas del crepúsculo es cuando el monte solitario adquiere más solemnidad e imponencia.

Hay un hidalgo tucumano que me recuerda su augusta serenidad. Exiliado de la Argentina, es centro y dirección de la colonia que ve en él un dirigente y un amigo. Sus ideas políticas hace mucho que han envejecido en todo el mundo, pero él las mantiene independiente al huracán proletario que se ha desatado sobre nuestra belicosa esfera. Su mano amiga se tiende a cualquier argentino sin preguntar quién es y por qué viene, y su serenidad augusta arroja sobre nosotros, míseros mortales, su protección patriarcal, sempiterna.[1]

[1] *Se refiere a Isaías Nogués.*

Seguimos varados esperando una definición y un cambio y esperando el 2 en donde veremos qué pasa, pero hay algo ondulante y con buche que se ha cruzado en mi camino, veremos...

Visitamos al final la Bolsa Negra. Tomando el camino del sur se va ascendiendo hasta llegar a una altura de 5 000 metros aproximadamente, para descender luego al valle en cuyo fondo está la administración de la mina y en una de cuyas laderas, la veta.

Es un espectáculo imponente: a la espalda el augusto Illimani, sereno y majestuoso, adelante el blanco Mururata, y ante los edificios de la mina que semejan copas de algo arrojado desde el cerro que quedaran allí por caprichos del accidente del terreno que los detuviera. Una gama enorme de tonos oscuros irisa el monte, el silencio de la mina quieta ataca hasta a los que como nosotros no conocen su idioma.

El recibimiento es cordial, nos dan alojamiento y después dormir.

A la mañana siguiente, domingo, vamos con uno de los ingenieros a un lago natural alimentado por un glacial del Mururata. Por la tarde visitamos el ingenio que es el molino donde se logra el Wolfram, el mineral que produce la mina.

El proceso sucinto es: la piedra que se extrae de la mina se divide en tres porciones, la que constituye el mineral con un 70% de hez que se embolsa así: la que tiene algo de Wolfram pero en cantidades menores y la capa, vale decir la que no tiene nada, que se arroja por vertederos afuera. La segunda porción va al molino con un alambre carril o andarivel, como llaman en Bolivia, cae en un depósito y luego de allí va al molino que la tritura y la deja de menor tamaño, otro molino la reduce más todavía y una serie de pases por agua va separando el metal que queda en estado de polvo fino.

El jefe del ingenio, un señor Tenza muy competente, ha planeado una serie de reformas que traerán como resultado el incremento de la producción y el mejor aprovechamiento del mineral.

Al día siguiente visitamos el socavón. Llevando los sacos impermeables que nos dieron, una lámpara de carburo y un par de botas de goma, entramos en la atmósfera negra e inquietante de la mina. Anduvimos dos o tres horas por ella revisando topes, viendo las vetas perderse en lo hondo de la montaña, subiendo por trampas angostas hasta otro piso, sintiendo el fragor de la carga que se echa por los vagones hacia abajo para ser recogida en el otro nivel, viendo preparar los agujeros para la carga con la máquina de aire comprimido que va cavando.

Pero la mina no se sentía palpitar. Faltaba el empuje de los brazos que todos los días arrancan la carga de material a la tierra y que ahora estaban en La Paz defendiendo la Revolución por ser el 2 de agosto, día del indio y de la Reforma Agraria.

Por la tarde llegaron los mineros con sus caras pétreas y sus cascos de plástico coloreado que los semejan guerreros de otras tierras.

Sus caras impasibles, con el marco invariable del eco de la montaña devolviendo las descargas mientras el valle empequeñecía el camión que los traía, eran un espectáculo interesante.

La Bolsa Negra puede producir todavía cinco años más en las condiciones actuales, luego parará su producción a menos que se haga una galería de varios miles de metros de empalme nuevamente con la veta. La galería está proyectada. Hoy por hoy es lo único que mantiene a Bolivia, pues es un mineral que los americanos compran, por lo que el gobierno ordenó incrementar la producción; lo que se ha conseguido es un 30% gracias al esfuerzo inteligente y tesonero de los ingenieros responsables. El doctor Revilla nos atendió con toda amabilidad invitándonos a su casa.

A las 4 partimos de vuelta aprovechando un camión, y pernoctamos en un pueblito llamado Palca y temprano llegamos a La Paz.

Estamos ahora esperando un [ ][1] para huir.

[1] Ilegible en el original

Gustavo Torlincheri es un gran artista como fotógrafo. Además de una exposición pública y de sus trabajos particulares tuve oportunidad de ver su manera de trabajar. Una técnica sencilla subordinada íntegramente a una composición metódica da como resultado fotos de notable valor. Con él hicimos un recorrido que, saliendo de La Paz, toma el club andino de Chacoltoya para seguir luego por las tomas de agua de la compañía de electricidad que abastece La Paz.

Otro día fui al Ministerio de Asuntos Campesinos, donde me trataron con extrema cortesía. Es un lugar extraño, montones de indios de diferentes agrupaciones del altiplano esperan turno para ser recibidos en audiencia. Cada grupo tiene su traje típico y está dirigido por un caudillo o adoctrinador que les dirige la palabra en el idioma nativo de cada uno de ellos. Al entrar, los empleados les espolvorean DDT.

Al fin estuvo todo listo para partir, cada uno de nosotros tenía su referencia amorosa que dejar allí. Mi despedida fue más en plano intelectual, sin dulzura, pero creo que algo hay entre nosotros, ella y yo.

La última noche fue de libaciones en casa de Nogués, tanto que me olvidé la máquina fotográfica. En medio de una gran confusión salió Calica solo para Copacabana, mientras yo me quedaba otro día que empleé en dormir y recuperar mi máquina.

Después de un viaje lindísimo bordeando el lago y de cruzar La Bolsa por Taquería llegué a Copacabana, nos alojamos en el mejor hotel y contratamos un barquito que nos llevará al día siguiente a la Isla del Sol.

A las 5 de la mañana nos despertaron y salimos con rumbo a la isla; el viento era muy pobre de modo que hubo que remar.

A las 11 llegamos a la isla y visitamos una construcción incaica, más tarde me enteré de que había otras ruinas más, de modo que obligamos al botero a ir hasta allí. Era interesante y sobre todo escarbando entre las ruinas encontramos algunos restos, un ídolo representando una mujer que prácticamente llena mis aspiraciones. El botero no se anima a volver, pero lo convencimos de que zarpara, sin embargo se cagó hasta las patas y hubo que hacer noche en un cuartucho miserable con paja por colchón.

Volvimos a remo en la mañana del día siguiente, pero nosotros nos hacíamos los burros debido al cansancio que nos embargaba. Perdimos ese día durmiendo y descansando, y resolvimos salir a la mañana siguiente en burro, pero lo pensamos mejor y resolvimos no hacerlo, dejando el viaje para la tarde. Contraté un camión pero éste se fue antes de que llegáramos con el bultaje de modo que quedamos anclados pudiendo al final llegar al límite en una camioneta. Allí se inició nuestra odisea: teníamos que caminar dos kilómetros con nuestro pesado equipaje a cuestas. Al fin conseguimos dos changadores y entre risas y puteadas llegamos al alojamiento. Uno de los indios al que habíamos puesto Túpac-Amaru presentaba un espectáculo lamentable, cada vez que se sentaba a descansar había que ayudarlo a ponerse en pie porque no podía solo. Dormimos como lirones.

Al día siguiente nos encontramos con la desagradable sorpresa de que el investigador no estaba en su oficina, de modo que vimos partir los camiones sin poder hacer nada. El día transcurrió en medio de un aburrimiento total.

Al siguiente, cómodamente instalados en "Coceta", salimos rumbo a Puno,[1] bordeando el lago. Cerca de este pueblo florecieron las Bolsas de tolora de las que no habíamos visto ninguna desde Taquira. Al llegar a Puno hicimos la última aduana del camino y en ella me requisaron dos libros: *El hombre en la Unión Soviética* y una publicación del Ministerio de Asuntos Campesinos que fue calificada de Roja, Roja, Roja en acento exclamativo y recriminatorio; después de una jugosa charla con el jefe de policía quedé en buscar en Lima la publicación. Dormimos en un hotelucho cercano a la estación.

Cuando portando todo nuestro equipaje íbamos a subir a segunda, nos atajó un empleado de investigaciones que tras algunos cabildeos nos propuso subir a primera y llegar gratis al Cuzco con las medallas de dos de ellos, lo que, por supuesto, aceptamos. Así viajamos cómodamente dándoles a los tipos el importe del pasaje de segunda.

[1] *La estancia de Ernesto por Bolivia se extendió por un mes y días, aunque la fecha exacta no aparece consignada en el pasaporte. No obstante, la salida de La Paz se produce el 7 de agosto y es relatada en carta a su madre desde El Cuzco, del 22 de agosto de 1953, citada en Ernesto Guevara Lynch.* Aquí va un soldado de América, *Editorial Planeta, Argentina, 1987. (Ver Anexo.)*

A la noche, al llegar a la estación, uno de ellos desapareció sin su chapa que quedó en mi poder. Nos alojamos en un hotelucho de mala muerte y dormimos a pata suelta.

Al día siguiente fuimos a controlar nuestros pasaportes y nos encontramos con un pesquisa que nos preguntó con el tono profesional que los caracteriza dónde está la chapa que se llevó usted anoche. Le expliqué lo que pasó y le devolví la chapa. Todo el resto del día lo dedicamos a recorrer iglesias así como el siguiente. Ya hemos completado todo lo más importante del Cuzco aunque un poco por encima, y esperamos a una señora argentina que nos cambie dinero nuestro por soles para ir a Machu-Picchu y recorrerla enseguida.

Ya tenemos los soles, pero por 1 000 pesos nos han dado 600; hasta qué punto incidió la argentina no sé, ya que el intermediario no apareció, lo cierto es que momentáneamente estamos a cubierto del hambre.

En estos días de espera hemos agotado la provisión de iglesias y monumentos interesantes de Cuzco. Nuevamente hago en mi cabeza un motete de altares, cuadros grandes y púlpitos.

Me impresionó por su sencillez y serenidad el púlpito de la iglesia de San Francisco, cuya sobriedad contrasta con el estilo recargado que impera en casi todas las construcciones de estilo colonial.

Belén ya tiene sus torres, pero el brillo blanco de ambos campanarios nuevos resulta chocante comparado con los tonos oscuros de la nave que es vieja.

Mi estatuilla inca, Martha de nuevo nombre, es auténtica y hecha de tunyana, la aleación de los incas. Uno de los empleados del museo me lo dijo, lástima que extrañamos [sic] los pedazos de vasija que son los que dan la pauta de la civilización que fue. Hemos comido mejor desde el pago.

Machu-Picchu no defrauda, no sé cuántas veces más podré admirarla, pero esas nubes grises, esos picachos morados y de colores sobre los que resalta el claro de las ruinas grises, es uno de los espectáculos más maravillosos que pueda yo imaginar.

Don Soto nos recibió muy bien y al final nos cobró sólo la mitad del hospedaje, pero a pesar del entusiasmo de Calica por este lugar siempre extraño la compañía de Alberto. Nuestra identidad de caracteres que tan bien se complementaban se hace más patente en Machu-Picchu.

Vuelta al Cuzco, a echar al pasar una mirada a alguna iglesia y a esperar la salida de algún camión. Una a una se desmembran nuestras esperanzas, mientras pasan los días y menguan los pesos o soles. Ya habíamos conseguido el camión, que era justo lo que necesitábamos, cuando con todas las valijas cargadas se armó la gorda por 2 libras que no teníamos. Contemporizando algo, podríamos haber hecho negocio, el hecho es que estábamos varados hasta el día sábado, mañana, y los primeros cálculos indican 40 soles más caro en contra del ómnibus.

Conocimos aquí en Cuzco un médium espiritista. Fue así: conversando en lo de la señora argentina con ella y Pacheco, el ingeniero peruano, empezaron a hablar de espiritismo, tuvimos que hacer esfuerzos para no reír pero encaramos el asunto con seriedad y al día siguiente nos llevaron a conocerlo. El tipo dio unos informes raros sobre unas luces que veía, de las que vio en nosotros; se refirió a la luz verde de la simpatía y la del egoísmo en Calica, y la verde oscuro de la adaptabilidad en mí. Después me preguntó si no tenía algo al estómago porque veía radiaciones mías medio caídas, lo que me dejó pensando, porque mi estómago se queja de los guisos peruanos y de la comida en lata: lástima no poder estar en una reunión con este médium.

Ya el Cuzco se ha perdido a lo lejos; después de un interminable viaje de casi tres días del ómnibus llegamos a Lima. Desde Abancoy para acá el camino sigue durante toda una jornada de ómnibus la quebrada del río Apurimac que se va haciendo más pequeño cada vez. Nosotros nos bañamos en un pequeño remanso en que apenas nos tapaba el agua, pero el frío era muy intenso y no fue para mí un baño agradable.

El viaje se hacía interminable. Las gallinas habían cagado todo el asiento bajo el cual estábamos, y un olor insoportable a patas ponía el ambiente como para cortarlo a cuchillo. Después de pinchar varias gomas y alargar más aún el viaje, logramos llegar a Lima y dormimos como lirones en un hotelucho de mala muerte.

En el ómnibus conocimos a un explorador francés que había estado en el Apurimac y había naufragado, llevándose la corriente a una compañera de él, que en un primer momento dijo que era una profesora y luego resultó ser una alumna fugada de la casa de los padres y que de yapa no sabía nadar. El tipo se las va a ver negras.

Fui a visitar al Dr. Pesce y a la gente del leprosorio.[1] Todos me recibieron muy cordialmente.

Han pasado nueve días en Lima, todavía sin visitar nada extraordinario debido a los compromisos con amistades, pero conseguimos un comedor universitario que cobra 1,30 cada comida, de modo que estamos perfectos en ese sentido.

Zoraida Boluarte nos invitó a su casa. De allí fuimos al cine a ver el famoso tridimensional. No me parece ninguna revolución de nada y las películas siguen siendo igual. Lo bueno ocurrió más tarde cuando nos encontramos con dos investigadores que pusieron patas arriba todo y nos llevaron a la cárcel donde luego de estar unas horas nos largaron citándonos para el día siguiente, hoy; veremos.

El asunto policial no fue nada después de un interrogatorio suave y unas cuantas disculpas nos dejaron en libertad. Al día siguiente nos volvieron a llamar solicitándonos datos sobre una pareja secuestradora de un chico que había encontrado parecido con el matrimonio Roy de la Paz.

Los días se han sucedido sin que tuviéramos oportunidad de nada nuevo. El único acontecimiento importante es el cambio de domicilio que hemos hecho, lo que nos permite vivir gratis totalmente.

La nueva casa nos ha resultado magnífica. Ya ligamos una fiesta en la que yo no pude chupar por estar con asma pero que sirvió para que Calica se pescara una nueva curda.

El Dr. Pesce nos brindó una de sus charlas tan completas y amenas en las que habla con tanta seguridad de temas tan diversos.

Ya tenemos casi seguro los pasajes para Tumbes por intermedio de un hermano de la señora de Peirano. Estamos aquí esperando, ya prácticamente sin cosas que ver en Lima.

Siguen pasando los días abúlicos, mientras nuestra propia inercia contribuye a que nos quedemos en esta ciudad más de lo deseado. Tal vez mañana lunes se decide el asunto pasajes y se fija la fecha definitiva de partida. Han hecho su aparición los Paso que dicen tener buenas perspectivas de trabajo aquí.

Ya estamos sobre la marcha, quedan los últimos minutos para repasear a la soñadora Lima: sus iglesias llenas de magnificencia por dentro no alcanzan externamente –mi opinión– a mostrar esa augusta sobriedad de los templos cuzqueños. La catedral tiene una serie de escenas de la pa-

[1] Leprosorio De Guía. Tanto el doctor Pesce como Zoraida Boluarte le brindaron apoyo y amistad en su primer viaje por América Latina, de ahí que los visite de inmediato cuando vuelve a Lima.

sión del señor de un pintor que da la impresión de ser de la escuela holandesa, de alto valor artístico; pero no me gusta su nave, ni me gusta tampoco su exterior un poco amorfo en cuanto a estilo, parece haber sido construida en una época de transición cuando en España se iniciaba la decadencia de su furia guerrera para empezar el amor al lujo, a las comodidades. San Pedro tiene una serie de cuadros de valor, pero tampoco me gusta su interior.

Nos tropezamos con Rojo que había sufrido nuestras mismas vicisitudes pero aumentadas por causa de los libros que llevaba. Viaja a Guayaquil y allí nos encontraremos.

Como despedida de Lima vimos *Gran concierto*, una película rusa peligrosamente parecida a las norteamericanas, pero de mayor calidad en cuanto a colorido y fidelidad musical. La despedida de los enfermos fue más o menos emotiva, pienso escribir.

La primera jornada fue de un tirón hasta Piura, adonde llegamos a la hora del almuerzo. Yo con asma me encerré en mi pieza y sólo salí un rato por la noche para conocer algo del pueblo, que es una típica capital de provincia de la Argentina pero con más coches nuevos.

Acomodados con el chofer para pagar menos, tomamos al otro día el ómnibus a Tumbes, adonde llegamos al anochecer luego de pasar, entre otras poblaciones, por Talara que es un puerto petrolero bastante pintoresco.

También sin conocer Tumbes debido al asma, seguimos viaje, llegando a la frontera en Aguas Verdes y pasando luego al otro lado, Huaquillas,[1] no sin sufrir los asaltos de las bandas que hacen el transporte de un lado a otro del puente que marca la frontera. Un día perdido en cuanto a viaje, aprovechado por Calica para tomar cerveza de arriba.

Al día siguiente emprendimos la marcha hasta Santa Marta, donde tomamos un barco que nos llevó por el río hasta Puerto Bolívar, y tras toda la noche de navegación llegamos por la mañana a Guayaquil, yo siempre con asma.

Allí encontramos al gordo Rojo, pero no solo, con 3 amigos estudiantes de derecho que nos llevaron a su pensión;[2] éramos 6 personas y formamos un círculo cerrado de ciudad estudiantil con las ruedas de los últimos mates que nos quedaban. El cónsul se mostró impermeable a nuestro pechazo de unas hojas de la infusión.

[1] *Llegan a Ecuador el 27 de septiembre de 1953, y controlados por inmigración el 28.*

[2] *Son los estudiantes argentinos Andrews Herrero, Eduardo (Gualo) García y Oscar Valdovinos.*

Guayaquil es, como todos estos puertos, una ciudad pretexto que gira alrededor del suceso diario de la entrada o salida de barcos sin vida propia casi.

Poco pude conocer, ya que la historia de viaje de los muchachos que partían para Guatemala, uno con el gordo Rojo, nos absorbió. Posteriormente conocí a un muchacho, Maldonado,[1] que me conectó con gente médica, el doctor Safadi,[2] psiquiatra y bolche,[3] como su amigo Maldonado. Por intermedio de ellos me conectó con algún otro especialista de lepra.

Tienen una casa de reclusión con 13 personas en condiciones bastante precarias y con poco tratamiento específico. Los hospitales por lo menos son limpios y no del todo malos. Mi pasatiempo favorito es el ajedrez, que juego con los de la pensión. Mi asma, bastante mejor. Pensamos quedarnos dos días más para tratar de localizar aquí a Velasco Ibarra.[4]

Planes deshechos y rehechos, angustias económicas y fobias guayaquileras. Todo esto es el resultado de una broma hecha al pasar por García: "Muchachos, ¿por qué no se van con nosotros a Guatemala?"[5] La idea estaba latente, faltaba ese empujoncito para que yo me decidiera. Calica me sigue. Ahora han venido días febriles de búsqueda. Ya las visas están virtualmente concedidas, pero para un gasto calculado de 200 dólares hay una existencia de 120,80 dólares difícil de conseguir, aunque se van juntando merced al esfuerzo de venta de nuestro equipaje. El viaje hasta Panamá es gratis, salvo el pago de 2 dólares diarios por cabeza lo que suman 32 dólares para los cuatro; era esta la discusión, es decir puede ser anulado. En Panamá nos esperan días de escasez.

La entrevista con Velasco Ibarra fracasó lamentablemente, el jefe de ceremonial un señor Anderson contestó a nuestra patética imploración de ayuda diciendo que la vida tiene altas y bajas, ahora estamos en una baja pero ya vendrán altas, etc.

Conocí el domingo unos lugares de la costa parecidos a cualquier zona lluviosa con ríos inundables pero el viaje fue particularmente interesante por la compañía del Dr. Fortunato Safadi y un amigo suyo que vendía seguros. Un poco más arriba dije que en Panamá nos esperan días de escasez, lo que hace falta saber es si Panamá nos espera... Después de sacar sin dificultad la visa a Guatemala fuimos

[1] Doctor Jorge Maldonado Reinella

[2] Doctor Fortunato Safadi.

[3] Expresión empleada para marcar su filiación comunista, bolchevique.

[4] Presidente ecuatoriano, reelecto en varias ocasiones.

[5] Ver en Anexo carta a su madre fechada el 21 de octubre de 1953 desde Guayaquil.

a obtener los boletos del barco para así sacarlos sin la otra visa a Panamá, y allí se armó la gorda puesto que el representante de la Compañía se negó terminantemente a vendernos sin antes preguntar telegráficamente a la Compañía Colón Panamá. La respuesta llegó al día siguiente por la noche y fue terminantemente negativa. Esto fue un sábado, el "Guayos", el buquecito que debía partir el domingo postergó su viaje para el miércoles.

Calica partió con rumbo a Quito en un camión particular, de garrón.

El lunes probamos nuevamente, esta vez con una orden de tránsito por 35 dólares, a nombre de García y mío que éramos los que resolvíamos salir primero; el resultado fue negativo, con esto por delante, teniendo sólo un mísero cartucho que quemar, mandamos un telegrama a Calica para que nos espere. Por la noche me entrevisté con Enrique Arbuiza el vendedor de seguros quien nos dijo que tal vez lo consiguiera y a la mañana siguiente, hoy, nos entrevistamos con el encargado de una compañía del turismo que se negó también; pero dio otra tabla explicándonos que la compañía que nos llevará a Panamá podía dar la carta. El vendedor de seguros también era amigo del capitán del "Guayos" y consecuentemente me llevó hasta él para plantearle el problema. El capitán saltó como leche hervida pero después que le explicamos un poco las cosas se calmó y quedamos en recibir la contestación definitiva esta tarde.

De todas maneras, hicimos un nuevo telegrama a Quito rectificándonos, de modo que Calica seguirá solo hasta Bogotá, por lo menos. Nuestro plan es esperar la respuesta definitiva y luego ir dos a Panamá o zarpar cuanto antes los 3 de aquí.

Veremos...

No vimos nada: una hora y pico esperando infructuosamente al capitán del "Guayos". Mañana se decidirá terminantemente qué se hace, pero de todas maneras Andro Herrero se queda. Él arguye que es necesario que uno se quede de agente de enlace en Guayaquil y además que es más fácil conseguir colada para dos que para tres. Eso es cierto, pero nos parece que hay gato escondido en esto y que algún amor lo debe retener aquí, pero es tan misterioso en sus cosas, que nadie sabe nada.

Pasé un día malísimo postrado por el asma con mareos y diarreas consecuencia de un purgante salino. García no hizo nada en todo el día, así que la incertidumbre continúa.

La visa a Panamá es una obsesión, cuando ya estaba todo listo soltaron 90 sucres más que no teníamos en ese momento, de modo que quedó para la tarde. Me encontré sin embargo con el cónsul que me invitó a visitar un barco argentino. Nos trataron bastante bien y nos dieron yerbas,[1] pero el cónsul me hizo formar religiosamente los 10 sucres de lancha. Es una barcaza del tipo de la "Ana G." de gran recuerdo para mí.[2] Quiero anotar expresamente el hecho siguiente: los soldados que cuidan las oficinas de enrolamiento llevan detrás las iniciales US.

[1] *Yerba mate.*

[2] *Embarcación en la que se enroló como enfermero en su recorrido por el Caribe a partir de 1950.*

Ya tenemos la visa con su tremendo letrero: "Tiene pasaje pago de Panamá a Guatemala." Se va a armar un quilombo de órdago. Hoy comimos con García en el barco argentino, nos trataron a cuerpo de rey, nos regalaron cigarrillos americanos y tomamos vino, amén del puchero. El resto del día en 0.

Dos días más: el sábado triste de la despedida incómoda, el domingo triste del viaje postergado. El sábado tenía casi vendida la máquina pero el resto burgués de mi afán propietario me impidió hacerlo al momento, después fue tarde aparentemente, aunque hoy se sabrá. El anillo recién se pudo colocar más o menos seguro el domingo por la noche; pero a la mañana cuando todos los proyectos parecían derruirse, sin un cobre, sin posibilidades de conseguirlos nos pareció la noticia de la postergación del viaje un regalo del cielo, sin embargo, cuando a la pregunta sobre fecha de salida, contestó el ingeniero dubitativamente, "quién sabe, tal vez el jueves", nuestro entusiasmo se fue al suelo, 5 días más son 120 sucres más, significan mayores dificultades para pagar etc., etc.

Y ahora días y días más y la máquina no se pudo vender y prácticamente no hay más cosas que quemar, de modo que nuestra situación es bastante precaria: encima ni un peso, deuda 500, potencialmente mil pero cuándo, esa es la cosa. Recién el domingo vamos a partir si es que no hay un nuevo atraso por cualquier circunstancia fortuita.

Ya en el mar paso revista a estos últimos días. Las febriles búsquedas de alguien que diera algo por nuestros utensilios vendibles, el esquivo comprador del anillo que al fin se achicó y el definitivo gesto del amigo Monasterio que dio 500 sucres y habló a la dueña de la pensión. El instante de las despedidas siempre frío, siempre inferior a lo que uno espera, encontrándose en ese momento incapaz de exteriorizar un sentimiento profundo.

Ahora estamos en un camarote de primera, que para los que pagan será malo, pero para nosotros ideal; tenemos como compañeros de pieza a un paraguayo conversador que hace un viaje relámpago por América en avión y un ecuatoriano farabuti,[1] ambos un par de boludos. García se ha mareado y tras de vomitar y tragarse un Benadril duerme a pierna suelta. Para esta tarde hay sesión de mate con el ingeniero.

[1] *Bueno.*

Me he enterado de la muerte de una tía mía en Buenos Aires por conducto de un diplomático que conocí en Chile y encontré en el barco argentino inesperadamente. La noticia me la dio como al pasar.

Marta no tiene ningún valor, según dicen, nosotros no bajamos al puerto, pero al día siguiente en Esmeraldas hicimos el gran derroche y nos patinamos un dólar para visitar todo el pueblito y sellar la salida del país.

Uno de los compañeros, el ecuatoriano, se encontró con un primo al que no conocía pero del que se hizo gran amigo, llevándonos a pasear por las afueras del pueblito en medio de montes tropicales.

Después de eso, hemos tenido un día entero de mar lo que a mí me parece precioso, pero no le gusta nada a Gualo García. A la salida de Esmeraldas fue encontrado un pavo, es decir un polizón, el que fue devuelto a puerto. Me trajo agradables recuerdos de otras épocas.

Ya estamos instalados en Panamá,[2] sin un rumbo cierto, sin nada nada seguro, sólo la seguridad de llegar. Han pasado cosas increíbles. Por partes: llegamos y no pasaba nada, tranquilamente el vista de aduanas revisó nuestras cosas, el otro empleado selló y retuvo los pasaportes y salimos rumbo a Panamá City desde Balboa, el puerto donde desembarcamos.

[2] *En carta de 21 de octubre de 1953 Ernesto estima que llegaría a Panamá entre el 29 ó 30 de ese mes. La salida se produce el 25 de octubre. (Ver Anexo.)*

El gordo Rojo había dejado la dirección de una pensión a la que fuimos a parar donde nos acomodaron en un pasillo por 1 dólar diario a cada uno.

Ese día no pasó nada nuevo, pero al siguiente nos encontramos con la gran sorpresa: al abrir las cartas en el consulado argentino hallamos una de Rojo y Valdovinos en la que nos anunciaban el casamiento de este último. Quedamos intrigadísimos hasta que se presentó la niña Luzmila Oller[1] que nos contó el casamiento y sus cosas. Han producido una revolución en la familia, el padre se mandó mudar de la casa, la madre no lo recibió y el tipo siguió viaje a Guatemala sin echarse un polvo ni, al parecer, una franela en serio.

[1] *Hija de un diputado panameño .*

La chica muy simpática parece bastante inteligente, pero es demasiado católica para mi gusto.

El cónsul argentino tal vez nos arregle el fato, tal vez podamos escribir en una revista llamada *Siete*, tal vez dé una conferencia y tal vez comamos mañana.

Nada nuevo, salvo que mañana doy una conferencia sobre alergia un poco tamizada y mezclada con organización de la Facultad de Medicina en Buenos Aires. El recibimiento del alumnado fue bastante caluroso. Conocí a Don Santiago Pi Suñer, el fisiólogo, y conocimos fuera de tema al Dr. Carlos Guevara Moreno quien me impresionó como un demagogo inteligente, muy conocedor de la psicología de las masas pero no mucho de la dialéctica de la historia. Es muy simpático y cordial y nos trató con deferencia. Da la impresión de que sabe lo que hace y adonde va, pero no llevará una revolución más allá de lo estrictamente indispensable para contentar a las masas. Es admirador de Perón. Tal vez coloquemos dos artículos uno en la revista *Siete* y otro en el suplemento dominical *Panamá-América.*

Ya Luzmila recibió carta de Oscar Valdovinos, de 16 páginas. Respira felicidad.

Ya di la famosa conferencia ante un público de 12, incluyendo el doctor Santiago Pi Suñer, 25 dólares. Escribí una crónica sobre el Amazonas, 20, y una sobre Machu-Picchu, probablemente 25.

Nos vamos a cambiar de casa, a una gratis. Conocimos a un pintor jovencito, no mal tipo. A los muchachos los están por expulsar de la FUA por haber ido a los consulados y haber viajado en un avión de la fundación desde Guayaquil a Quito y a Valdovinos lo tienen cogido en Guatemala porque se mandó una declaración a nombre de "unos jóvenes antiperonistas argentinos". No sé cómo se las van a arreglar. Fuimos a un paseo con Mariano Oteiza, el presidente de la Federación de estudiantes de Panamá, estuvimos en la playa, en Riomar, muy agradable.

Ha salido en el *Panamá-América*[1] la crónica sobre el Amazonas, la otra está peleando. Nuestra situación es mala. No sabemos cómo podremos salir de aquí y en qué forma. El cónsul de Costa Rica es un pelotudo y no nos da la visa. Conocimos a un escultor, Manuel Teijeiro, interesante el hombre.

La lucha se vuelve pesada. Como pintor a Sinclair que estudió en la Argentina, buen tipo.

Lo mejor hasta ahora, el trío integrado por Adolfo Benedetti, Rómulo Escobar, Isaías García. Todos muy buenos muchachos.[2]

Todavía no conocemos bien el canal, el otro día fuimos, estaba cerrado por ser muy tarde.

Hay que agregar un binomio: Everaldo Tómlinson, Rubén Darío Moncada Luna.

Los últimos días de Panamá fueron al pedo. El cónsul de Costa Rica no nos quiso dar la visa si no presentábamos además del boleto de salida otro de entrada al país, y necesitamos que Luzmila nos prestara la plata. La máquina de fotos no la pudimos sacar y tampoco devolver el pasaje a Costa Rica por la PAA. Una fiesta de despedida que le dieron a Luzmila nos la perdimos, mejor dicho la perdí yo, porque Gualo estaba acomplejado por la forma en que nos miraban y no quería ir, al final Luzmila un poco fría.

Por la segunda nota me dieron 15 dólares, gracias a la fuerza que hizo otro buen tipo: José María Sánchez.

Partimos de Panamá con cinco dólares en el bolsillo, conociendo en el último momento a una figura interesante: Ricardo Luti, cordobés, botánico y asmático, que ha estado en el Amazonas y en la Antártida y piensa hacer un viaje recorriendo América por el centro y a través del Paraguay-Amazonas-Orinoco: mi vieja idea.[3]

Ahora estamos en el centro de Panamá, con los muelles del camión que nos conducía completamente rotos y sin señales del camionero que fue a David a buscar repuesto y no vuelve. Nos desayunamos con un poco de arroz y un huevo. De noche los mosquitos no dejan dormir, de día los mosquitos no dejan vivir (poético). Es una zona de relativa elevación no del todo caliente con chaparrones de árboles y de agua.

Visité Palo Seco en forma relámpago, hay una pareja de judíos americanos que viven desde hace 20 años allí. No

[1] *"Un vistazo a las márgenes del gigante de los ríos", en Suplemento dominical* Panamá-América, *nov. 22 de 1953. p.10 y "Machu-Picchu, enigma de piedra en América", en Suplemento semanal* Siete, *dic. 12 de 1953, p.18. (Ver Anexo.)*

[2] *Todos miembros de la Federación de Estudiantes de Panamá.*

[3] *Ver en Anexo nota aparecida en el periódico* La Hora, *del 10 de noviembre de 1953.*

parecen tener grandes conocimientos pero se dedican exclusivamente a los enfermos.

Rubén Darío Moncada no acertó sino a medias. El chofer resultó más malo que pegarle a la madre y en una curva en que fallaron los frenos nos tumbamos. Yo iba en la parte de arriba y cuando vi el desastre me tiré lo más lejos posible y rodé otro poco hasta quedarme quietito prendida la cabeza con las manos. Cuando pasó el barullo corrí a ayudar a los otros y constatar que nadie tenía nada salvo yo, que salí con un codo pelado, pantalón roto y el talón derecho muy dolorido.

Esa noche yo dormí en casa de Rogelio, el camionero, y Gualo en el camino, cuidando las cosas.

Al día siguiente perdimos el tren de las 2 de la tarde y debimos conformarnos con el de las 7 de la mañana del otro día, llegar a Progreso y de allí "tirar pata" hasta la cuesta en territorio costarricense donde nos han recibido muy bien. A pesar de mi pie enfermo jugué fútbol.[1]

Partimos por la mañana temprano y tras equivocar el camino, llegamos a la buena senda y caminamos 2 horas en un lodazal, después llegamos al punto terminal del ferrocarril donde apalabramos al inspector que, por casualidad, había querido ir a la Argentina pero no le habían dado bola. Llegamos a puerto y pechamos[2] a la capitanía el pasaje, lo que nos fue concedido pero nos negaron alojamiento. Dos empleados se condolieron de nosotros y aquí estamos instalados en el cuarto de ellos, durmiendo en el suelo y muy alegres.

La famosa Pachuca (que transporta pachucos, vagos) saldrá mañana domingo de este puerto. Ya tenemos cama. El hospital es una confortable casa donde se puede dar una correcta atención médica y cuyas comodidades varían según la categoría de la persona que trabaja allí, en la compañía.[3] Como siempre, se deja ver el espíritu de clase de los gringos.

Golfito es un verdadero golfo, bastante profundo, ya que entran perfectamente buques de 26 pies con un pequeño muelle y las casas necesarias para que se alberguen como puedan los 10 000 empleados de la compañía. El calor es grande, pero el lugar muy bonito. Cerros de 100 metros se levantan casi en la costa, con laderas cubiertas de vegetación tropical que sólo cede cuando el hombre está constantemente sobre ella. También la ciudad está dividida en zonas bien definidas hasta con guardianes que pueden impedir el paso,

[1] Fecha de la llegada a Costa Rica, el 1ro. de diciembre de 1953.

[2] Pedir prestado (argentinismo).

[3] Se refiere a la United Fruit Company.

y, por supuesto, la mejor zona es la de los gringos. Se parece algo a Miami pero naturalmente que los pobres no están en el mismo lugar y se ven impedidos entre las cuatro paredes de sus casas y el estrecho grupo que forman. La comida corre a cargo de un buen muchacho y ya buen amigo: Alfredo Fallas.

Medina es el compañero de pieza y también buen tipo. Uno, tico, es estudiante de medicina, el padre médico; el otro nica, maestro, periodista que se desterró voluntariamente para huir de Somoza.

La Pachuca salió de Golfito a la 1 de la tarde y nosotros con ella. Íbamos bien cargados con comida para los dos días de viaje. En la tarde se puso el mar un poco bronco: la "Río Grande", que es su verdadero nombre, empezó a volar. Casi todos los pasajeros incluyendo a Gualo empezaron a vomitar. Yo me quedé afuera con una negrita que me había levantado, Socorro, más puta que las gallinas, con 16 años a cuestas.

Quepos es otro puerto bananero, hoy bastante abandonado por la compañía pues se han debido sustituir las plantaciones de banano por cacao y palma aceitera que da menores dividendos a la compañía. Tiene una playa muy bonita.

Entre quiebros y remilgos de la negrita pasó todo el día, llegando a Puntarenas a las 6 de la tarde. Allí debimos esperarnos buen rato porque se escaparon 6 presos y no los podían encontrar. Fuimos a una dirección que nos había dado Alfredo Fallas con una carta de él para un señor: Juan Calderón Gómez .

El tipo se portó a las mil maravillas y nos dio 21 colones. Llegamos a San José reviviendo la sentencia despectiva de un charlatán porteño: "Centro América son estancias, tiene la estancia Costa Rica, la estancia de Tacho Somoza y así."

Una carta de Alberto con lujuriosos viajes en la imaginación me vuelven a dar ganas de verlo. Según sus planes se va en marzo a Estados Unidos.

Aquí iniciamos tiro al aire y al blanco. En la embajada nos dan yerba. Los amigos anotados no parecen servir para un carajo, uno es director y espiquer de radio, un boludo. Mañana trataremos de entrevistarnos con Ulate.

Un día pasado a medio pedo. Ulate no nos podía atender porque estaba muy ocupado. Rómulo Betancourt se había ido al campo. Pasado mañana saldremos en el diario de

Costa Rica con fotos y todo y una sarta de macanas enormes. No conocimos a nadie de valor pero nos encontramos con un tico, ex pretendiente de Luzmila Oller que nos presentó a otra gente. Mañana tal vez conoceré el leprosorio de Costa Rica.

Conocí dos personas excelentes pero no el leprosorio. Al doctor Arturo Romero, persona de vasta cultura ya retirado de la dirección del leprosorio por intrigas y al doctor Alfonso Trejos, investigador de escuela y muy buena persona. Visité el hospital y recién mañana el leprosorio. Tenemos un día bravo. Charlar con un cuentista y revolucionario dominicano: Juan Bosch y con el líder comunista costarricense Manuel Mora Valverde.

La entrevista con Juan Bosch fue muy interesante. Es un literato de ideas claras y de tendencia izquierdista. No hablamos de literatura, simplemente de política. Calificó a Batista de hampón rodeado de hampones. Es amigo personal de Rómulo Betancourt y lo defendió calurosamente, lo mismo que a Prío Socarrás y a Pepe Figueres. Dice que Perón no tiene arraigo popular en los países americanos y que en el año 45 escribió un artículo en que lo denunciaba como el más peligroso demagogo de América. La discusión se llevó en términos generales muy amables.

Por la tarde nos entrevistamos con Manuel Mora Valverde, es un hombre tranquilo, más que eso pausado, pues tiene una serie de movimientos de tipo de tics que indican una gran intranquilidad interior, un dinamismo frenado por el método. Nos dio una cabal explicación de la política de Costa Rica en estos últimos tiempos:

"Calderón Guardia era un hombre rico que subió al poder apoyado por la United Fruit y las fuerzas de terratenientes locales. Así gobernó dos años hasta que vino la guerra mundial y Costa Rica se puso de parte de las potencias aliadas. La primera medida del Departamento de Estado fue exigir que fueran confiscadas las tierras de los terratenientes alemanes dedicadas con preferencia al cultivo de café. Así se hizo, vendiéndose posteriormente las tierras, lo que condujo a oscuros negociados en que se vio envuelto parte del equipo ministerial de Calderón Guardia y le restaron el apoyo de todos los terratenientes del país, salvo la United Fruit. El personal de esta compañía, por reacción frente a la explotación, es antiyanqui. Lo cierto es que Calderón Guardia quedó absolutamente sin apoyo de ninguna índole y hasta le era imposible salir a la calle por las rechiflas de que era objeto. En ese momento, el partido comunista le ofreció su apoyo a costa de crear leyes obreras fundamentales y renovar su gabinete. En este ínterin Otilio Ulate, hombre de izquierda por ese entonces y amigo personal de Mora, le avisó y demostró un plan para engañarlo y que Calderón Guardia había previsto. Mora siguió adelante con la alianza y el gobierno de Calderón se rodeó de popularidad al iniciarse las conquistas obreras fundamentales.

Se planteaba el problema de la sucesión del poder pues terminaba el período de Calderón, y los comunistas propusieron un frente único de conciliación nacional para seguir la política obrera del gobierno y propusieron a Ulate; el candidato rival León Cortés se opuso terminantemente presentando su propia candidatura. Por esta época, Ulate comenzó desde su periódico *El Diario de Costa Rica* una fuerte campaña contra las leyes obreras y se produjo el rompimiento de las izquierdas y el viraje de don Otilio.

Las elecciones dieron el triunfo a Teodoro Picado, intelectual pusilánime y estropeado por el whisky, aunque hombre de relativa tendencia izquierdista y que inició su gobierno apoyado por los comunistas. Continuó su tendencia durante todo su gobierno, aunque el jefe de policía era un coronel cubano, agente del FBI que EU había impuesto.

En las postrimerías, los capitalistas descontentos organizaron una gran huelga de la banca y la industria que el gobierno no quiso romper. Los estudiantes salieron a la calle, se tiró contra ellos y hubo heridos. Teodoro Picado fue presa del pánico, las elecciones se avecinaban y había dos candidatos: Calderón Guardia nuevamente y Otilio Ulate. Teodoro Picado, contra la opinión de los comunistas, entregó la máquina electoral a Ulate y él se reservó la policía. Las elecciones fueron fraudulentas, triunfando las fuerzas de Ulate. Se planteó recurso de nulidad ante el tribunal electoral y se pidió una decisión cualquiera sobre las denuncias presentadas, advirtiendo que se acataría cualquier decisión pero pidiendo una, el tribunal no accedió a considerar la denuncia, con el voto salvado de uno de los tres jueces, por lo que se presentaron a la cámara, se aprobaron y se anuló la elección. En este momento se creó el gran pleito y la gente estaba en ebullición. Aquí un paréntesis.

En Guatemala, con la presidencia de Arévalo se había formado lo que dio en llamarse las Repúblicas Socialistas del Caribe. Apoyado el presidente guatemalteco por Prío Socarrás, Rómulo Betancourt, Juan Rodríguez, un millonario dominicano, Chamorro y otros. El plan revolucionario primitivo era desembarcar en Nicaragua y desalojar a Somoza del poder, ya que Salvador y Honduras caerían sin mayor lucha, pero Argüello un amigo de Figueres planteó el problema de Costa Rica, su convulsionada situación interior y Figueres voló a Guatemala. La alianza se llevó a cabo y Figueres se alzó en Cartago tomando rápidamente el aeródromo de las armas, punto necesario para recibir ayuda por aire.

La resistencia se organizó rápidamente y el pueblo asaltó los cuarteles para conseguir armas, pues el gobierno no se las quería dar. La revolución sin apoyo popular, ya que Ulate no se había adherido a ella, estaba condenada al fracaso, pero el triunfo lo lograrían las fuerzas populares acaudilladas por los comunistas, la burguesía, y con ellos Teodoro Picado, se sintieron sumamente inquietos con esto. Picado voló a Nicaragua a conferenciar con Somoza para obtener armas, pero allí se encontró con que también estaba en la conferencia uno de los altos funcionarios norteamericanos y se le exigió a Picado, como precio de la ayuda, el aniquilamiento del comunismo, garantizando la caída de Manuel Mora y que cada arma iría con su hombre, lo que significaba la invasión de Costa Rica.

Picado en el momento no aceptó puesto que significaba la traición a los comunistas que lo habían apoyado todo el tiempo, pero la revolución estaba agonizante y el poder de los comunistas asustó tanto a la gente reaccionaria del gobierno que éste boicoteó la defensa hasta que los invasores llegaron a las puertas de San José y entonces abandonaron la capital estableciéndose en Liberia cerca de Nicaragua. Al mismo tiempo, el resto del ejército tomaba todo el parque disponible y se entregaba con él a los nicaragüenses. Se hizo entonces un pacto con Figueres, siendo garante de él la embajada mexicana ante quienes depusieron las armas las fuerzas del pueblo. Figueres no cumplió el pacto pero la embajada mexicana se vio imposibilitada de hacerlo sentir porque su enemigo era el Departamento de Estado Americano. Mora fue deportado y el avión en que iba ametrallado, salvando la vida por casualidad. El avión aterrizó en la zona norteamericana de Panamá y, preso por la policía yanqui, fue entregado al jefe de policía de Panamá, en esa época el Coronel Remón. Los periodistas yanquis fueron expulsados cuando pretendieron interrogarlo y entonces tuvo un altercado con Remón que lo mandó al calabozo. De allí fue a Cuba donde Grau San Martín también lo afueró hasta que se trasladó a México y pudo volver al país en el tiempo de Ulate.

Figueres se vio abocado al problema de que sus huestes estaban constituidas por sólo 100 ticos y unos seiscientos hombres que constituirían la Legión del Caribe y aunque al principio notificó a Mora que su programa era 12 años y no pensaba entregar el poder a la burguesía corrompida representada por Ulate, debió entrar en componendas con éste y comprometerse a entregar el poder luego de un año y medio de gobierno, pacto que cumplió luego de componer la maquinaria electoral a su antojo y hacer una represión organizada y cruel. Pasado ese lapso, Ulate tomó el poder y lo conservó los cuatro años que le correspondían. Su gobierno no se caracterizó por la garantía de las libertades instituidas y el respeto a las leyes progresistas conseguidas en los gobiernos anteriores; salvo la derogación de la ley de represión de los terratenientes, llamada ley de los parásitos.

Las elecciones fraudulentas dieron el triunfo a Figueres sobre el candidato que representaba al Calderonismo, ya que éste, proscripto y vejado, está en México. La opinión del Sr. Mora sobre Figueres es que éste es un hombre con una serie de buenas ideas sin base científica alguna por lo que se pierde en divagaciones. Que desdoblan a EU en dos. El Departamento de Estado (muy justo) y los truts capitalistas (los pulpos peligrosos). Cuando Figueres se desengañe sobre la bondad del Departamento de Estado viene la incógnita, ¿luchará o se someterá? Así está el dilema y veremos qué pasa."

Día sin huella, aburrimiento, lectura y charlas insulsas. Roy, un viejito pensionista de Panamá, cayó a que lo atendiera pues se sentía morir a consecuencia de una tenia. Tiene salteritis crónica.

La entrevista con Rómulo Betancourt no tuvo las características de lección de historia que nos diera Mora. Me da la impresión de ser político con algunas firmes ideas sociales en la cabeza y el resto ondeante y torcible para el lado de las mayores ventajas. En principio está firmemente con Estados Unidos. Falseó el Pacto de Río y se dedicó a hablar peste de los comunistas.

Nos despedimos de todo el mundo y especialmente de León Bosch, un pendejo macanudo y nos largamos en ómnibus hasta Alajuela y de allí a dedo. Tras de diversas peripecias llegamos esa noche a Liberia, la capital de la provincia de Guanacaste, que es un pueblito infame y ventoso como los de nuestra provincia de Santiago del Estero.[1]

Un jeep nos llevó hasta donde el camino lo permitía y de allí empezamos nuestra caminata bajo un sol bastante fuerte. Después de caminar más de 10 kilómetros nos encontramos con otro jeep que nos alzó llevándonos hasta el pueblito de la Cruz donde nos invitaron a almorzar. A las 2 de la tarde seguimos viaje para hacer 22 kilómetros, pero a las 5 ó 6 ya la noche se nos venía encima y yo andaba con la pata a la miseria. Dormimos en una batea para arroz y peleamos toda la noche por la manta.

Después de caminar hasta las 3 de la tarde y rodear como 12 veces un río llegamos a Peñas Blancas donde nos tuvimos que quedar debido a que ya no había más carros que fueran hasta la vecina ciudad de Rivas.[2]

Amaneció lluvioso el día y ningún camión apareció hasta las 10, de manera que decidimos desafiar la llovizna y lanzarnos a lo que fuera rumbo a Rivas. En ese momento apareció el gordo Rojo en un coche con patente de la universidad de Boston. Pretendían cruzar a Costa Rica, cosa imposible porque el sendero barroso donde nosotros nos quedamos empantanados, a veces, era la carretera panamericana. Rojo iba acompañado por los hermanos Domingo y Walter Beberaggi Allende. Fuimos hasta Rivas y allí, cerca de la ciudad, nos mandamos un asado con mate y cañita, una especie de ginebra nicaragüense. Era un poco de Argentina trasladada a la "estancia de Tacho". Ellos siguieron a San Juan del Sur para embarcar a Puntarenas en coche, y nosotros tomamos el ómnibus para Managua.

Llegamos ya de noche y empezó la peregrinación por pensiones y hoteluchos para conseguir lo más barato. Al fin fuimos a dar a una que por 4 córdobas cada uno nos tenían en una piecita sin luz.

Empezamos el día siguiente la peregrinación por consulados con su cortejo de imbecilidades. En el de Honduras

[1] *Ver en Anexo "Experimento extraordinario es el que se realiza en Bolivia", nota periodística en* Diario de Costa Rica *del 11 de diciembre de 1953.*

[2] *Es el momento en que se traslada a Nicaragua, el 22 de diciembre.*

aparecieron Rojo y sus compañeros que no habían podido pasar y además desistieron por el precio fantástico que les cobraban. Allí se decidió todo rápidamente. Nosotros dos nos iríamos con Domingo el menor de los Beberaggi a Guatemala a vender el coche y el gordo y Walter a San José de Costa Rica en avión.

Esa noche tuvimos una larga tenida exponiendo cada uno su punto de vista sobre el problema argentino. Rojo, Gualo y Domingo eran radicales intransigentes, Walter laborista y yo francotirador, según el gordo. Para mí el más interesante fue Walter que me dio una idea sobre el partido laborista y Cipriano Reyes, muy diferente de la que yo tenía. Nos contó los orígenes de Cipriano como dirigente gremial y su prestigio gradualmente conquistado entre los obreros en los frigoríficos de Berisa y su actitud frente a la coalición de la Unión Democrática, tomando el partido laborista –fundado en ese momento–, el partido de Perón, aún a sabiendas de lo que se exponía.

Pasadas las elecciones, Perón ordenó la unificación del partido, disolviendo de esta manera el partido. Se inició entonces en las cámaras un debate violento en que los laboristas encabezados por Cipriano Reyes no aflojaban. Al fin empezaron las conversaciones para un golpe revolucionario encabezado por los militares representados por el Brigadier de la Colina, su asistente Veles, que fue el que lo traicionó, yendo con el cuento a Perón.

Los tres principales líderes del partido: Reyes, Beberaggi y García Velloso fueron encarcelados y torturados, el primero bárbaramente. Después de un tiempo, el juez Palma Beltrán ordenó la libertad condicional de los detenidos que quedaron con custodia policial, mientras el fiscal apeló la sentencia. En momentos en que la cámara se reunía, Beberaggi consiguió escapar y salir por conducto secreto al Uruguay, todos los demás fueron apresados y todavía están en la cárcel. Walter fue a EU a graduarse de profesor de economía y allí en una serie de conferencias radiadas fue terminante para calificar el régimen de Perón. Se le quitó la ciudadanía argentina.

A la mañana partimos para el norte después de dejar en el avión a los otros y llegamos a la frontera a punto de cerrar. Nuestro haber era de 20 dólares. Del lado de Honduras debimos pagar. Seguimos hasta cruzar toda la estrecha franja de este país y caímos a la otra frontera, pero no podíamos pagar porque resultaba muy caro. Dormimos a la intemperie en unas colchonetas de goma ellos, en una bolsa de dormir, yo.

Cruzamos los primeros la frontera y seguimos rumbo al norte. El viaje era muy lento por la cantidad de gomas pinchadas que nos habían dejado con unos repuestos asquerosos. Llegamos a San Salvador y nos dedicamos a garronear las visas, cosa que nos resultó factible por intermedio de la embajada Argentina.

Seguimos viaje hasta alcanzar la frontera[1] donde pagamos el sobreprecio con unas libras de café; al otro lado nos costó una linterna pero ya estábamos encaminados, aunque con 3 dólares en el bolsillo. Domingo tuvo sueño y nos quedamos a dormir en el auto.

[1] *Su llegada a Guatemala se produjo entre el 23 y 24 de diciembre de 1953. (Ver Anexo.)*

Tras algunas peripecias minúsculas llegamos a la hora del desayuno a la pensión de Oscar y Luzmila, encontrándonos con que estaban medio peleados con la dueña, de modo que tuvimos que buscarnos otra pensión para entrar a deber plata. Por la noche, 24 de diciembre, fuimos a festejar la fecha a lo de Juan Rothe, ingeniero agrónomo, casado con una muchacha argentina, que nos recibió con la cordialidad de viejos amigos. Dormí mucho y chupé demasiado, me hizo mal inmediatamente.

La serie siguiente de días lo pasé en medio de un desesperante ataque de asma, inmovilizado por esa causa y por los días de fiesta. Llegando ya el 31 bien, pero hice régimen perfectamente durante esa fiesta.

Personas interesantes con las que haya podido hablar no he conocido totalmente ninguna. Una noche tuve una larga plática con [Ricardo] Temoche, ex diputado aprista. Si uno lo oye, el principal enemigo del APRA es el Partido Comunista. No hay imperialismo ni oligarquía que valga, los bolches son los enemigos irreconciliables. En la misma fiesta estaba un economista de la talla de Carlos Dáscoli, con quien no pude hablar por el pedo que tenía. Después de mi ataque, y al final de las fiestas, asistimos a la ruptura del romance que Domingo Beberaggi tenía con una chica Julia, que parece iba en serio. Domingo vendió el coche y voló a Costa Rica.

Juan Rothe se va a Honduras como técnico y dio un asado de despedida. Estuvo formidable en todo sentido. El único que no estaba en pedo era yo que hacía régimen. Visité a Peñalver,[1] un mararíologo de Acción Democrática que se ha movilizado algo para conseguirme alguna cosa. Ya estoy cerca del ministro, pero no pinta nada bien.

En otro ramo conocí a un gringo extraño que escribe boludeces sobre marxismo y lo hace traducir al castellano. El intermediario es Hilda Gadea[2] y los que laburan Luzmila y yo. Hasta ahora cobramos 25 dólares. Yo doy clases de inglés-castellano con el gringo.

Otra adquisición es el matrimonio Valerini. Ella es muy bonita, él, muy borracho, pero buen tipo. Quedaron en presentarnos a una eminencia gris dentro del gobierno: Mario Sosa Navarro, veremos qué resulta.

Los días pasan sin que se resuelva nada. Por la tarde trabajo un rato con Peñalver pero no me paga nada. Por la mañana salgo a vender cuadros de mi Cristo, Esquipulas, adorado por la gente del lugar y tampoco se gana nada, por falta de venta. Entre la gente interesante que conocí está Alfonso Vanergais, que es un abogado presidente del Banco Agrario y persona bien intencionada. Edelberto Torres (h) es un joven estudiante comunista hijo del profesor Torres,[3] que escribió una vida de Rubén Darío. Parece un buen muchacho. No hay nada sobre la eminencia gris. Con el gordo Rojo y Gualo tuvimos una discusión exaltada por cuestiones políticas en la casa de un ingeniero Méndez.

Todo igual en cuanto a la posibilidad de conseguir laburo. Fracasaron las gestiones administrativas frente al ministro de Salud Pública. Por ahora, lo único aparentemente jugoso es un contrato de avisos de radio que si bien no nos ha dado nada, promete algo. No hemos conocido a nadie interesante en estos últimos días. Yo me pongo ACTH desde las 8 a las 2 y pico de la tarde, ando bien.

Nada de perspectivas cercanas, el capo gris no apareció después de tenernos citados.

Día sábado sin pena ni gloria. Lo único bueno fue una sustanciosa charla con la Sra. Helena de Holst,[4] cercana en algunos puntos a los comunistas y que me dio la impresión de ser muy buena persona. Por la noche plática con Mujica,[5] Hilda y cierta aventurilla con una maestra fatera. Desde hoy trataré de escribir el diario todos los días y acercarme algo a la realidad política de Guatemala.

[1] *Exiliado venezolano con quien se relacionó posteriormente en México.*

[2] *Exiliada aprista que se convertiría en la primera esposa del Che. El gringo es el profesor Harold White. Al triunfo de la Revolución fue invitado por el Che para visitar Cuba, donde se quedó hasta su fallecimiento en 1968.*

[3] *Se refiere al prestigioso intelectual nicaragüense Edelberto Torres Rivas.*

[4] *Exiliada hondureña.*

[5] *Nicanor Mujica Álvarez, dirigente aprista exiliado.*

Día domingo sin novedad, hasta la noche en que me vinieron a buscar para atender a uno de los cubanos[1] que se quejaba de fuertes dolores de vientre. Hice llamar a la ambulancia y estuvimos hasta las dos en el hospital, hora en que el médico resolvió que había que esperar antes de operar y lo dejamos en observación.

Previamente, en una fiesta en lo de Myrna Torres, conocí a una chica que me dio algo de bola y la probabilidad de conseguir un puesto de 40 quetzales. Veremos.

Un día más sin pena ni gloria. Hay en perspectiva 10 quetzales (nos corresponden $25 de comisión) y una casa. Veremos. El cubano, en su departamento, había que ver qué fue.

Un día más sin pena ni gloria. Estribillo que lleva características de repetirse en forma alarmante. Gualo desapareció todo el día y no hizo nada y yo aproveché para no hacer nada tampoco. Por la noche fui a visitar el colegio donde tal vez trabaje.

Nada nuevo se produjo. Conversamos con el embajador boliviano, buen hombre y poco más en cuanto a preparación política. A la noche fuimos a la apertura del 2do Congreso Sindical de la CGTG,[2] un bodrio salvo el discurso del delegado de la FSM, que es buen orador.

Otra y van... Se publicaron pruebas de que el complot de que se hablaba existía realmente. Conseguimos la posibilidad de un aviso, pero hay que presentar un programa como la gente. Soy representante de cueros y de avisos luminosos, de puesto nada. Yerba en abundancia.

Nuevo día sin pena ni gloria. Por el lado de Díaz Rozzoto[3] no hay nada que esperar. Salí con una chica que promete algo bueno. Anita nos pidió la plata de la pensión e Hilda no puede darnos más de $10. Debemos 60 o más. Mañana es domingo, así que no hay que desmayar.

Dos días más sin que ningún acontecimiento importante cambie nuestra rutina. Tengo más asma pero parece que la voy a dominar. Gualo se va a México con el gordo Rojo a estarse un mes. Yo tengo carta para el gerente del IGSS,[4] Alfonso Solórzano, veremos qué pasa. Si nada de esto cristaliza, uno de estos meses tomaré mis petates y emigraré también a México. Escribí un artículo grandilocuente que

[1] *Es la primera vez en el diario que menciona a los cubanos asaltantes del Moncada, exiliados en esos momentos en Guatemala. Traba contacto con ellos por intermedio de Myrna Torres, hija del profesor Edelberto Torres, quien a su vez era amiga de Hilda Gadea.*

[2] *Confederación General de Trabajadores de Guatemala.*

[3] *Jaime Díaz Rozzoto, secretario de la presidencia.*

[4] *Instituto Guatemalteco de Seguridad Social.*

se titula el "Dilema de Guatemala";[1] pero no es para publicar sino para sacarme el gusto no más[...].[2]

En cuestión de asma va cada vez peor, empecé a tomar mate y dejé las tortas de maíz, sigo empeorando. Mañana pienso sacarme una muela para ver si por allí está la mamá del cordero. Además veré si por fin resuelvo el problema de las divisas.

Nuevos días para acoplar al diario. Llenos de vida interior y nada más. Colección de fracasos de todo tipo e inalterables fabricadores de esperanzas. Decididamente, soy de un fatalismo optimista. Estos días los pasé con asma, los últimos confinado en mi pieza sin apenas salir, aunque ayer domingo fuimos con los venezolanos y Nicanor Mujica a Amatitlán. Allí hubo una violenta discusión entre todos contra mí, salvo el gordo Rojo que manifiesta que no tengo categoría moral para discutir. Hoy fui a ver un puesto del que hay posibilidades como médico con 80 cañas mensuales por una hora de trabajo. En el IGSS ya me dieron la completa seguridad de que no hay caso. Solórzano estuvo amable y conciso. Ahora se puede acabar el día con el antiguo punto final. Veremos.

Pero no vimos nada. Como no estaba en disposición de moverme mandé a Gualo a entregar el título, pero después apareció el asunto de que Herbert Zeissig pedía datos míos, si yo era afiliado o no al partido, etc. Hilda no habló con la señora Helena de Holst pero... le mandó un telegrama. Sigue el asma. Gualo apuntándose para irse.

Dos nuevos días agregados a esta sucesión y nada nuevo, fuera de ellos. No me moví debido al asma, aunque parecería que ésta preveía un clímax con vómitos ocurrido anoche. Helenita de Holst ya trató de comunicarse conmigo, de allí en realidad es de donde espero más. Hilda Gadea sigue preocupándose mucho por mí y constantemente pasa a verme y me trae cosas. Julia Mejías me consiguió una casa en Amatitlán para pasar fin de semana. Herbert Zeissig se esquivó el bulto de la resolución definitiva, mandándome a verlo a V. M. Gutiérrez, para asegurar el apoyo del partido comunista, lo que me parece muy dudoso.

Otro día más, aunque la esperanza se renueva con la salud que está empezando a mejorar. Hoy es víspera definitiva y Gualo definitivamente se va mañana a la madrugada, no duerme aquí. La pensión fue pagada en medio por

[1] *Publicado con posterioridad en el libro* Aquí va un soldado de América, *Ob. cit., pp. 68-74. (Ver Anexo.)*

[2] *Los corchetes con puntos suspensivos indican, siempre que aparezcan en el texto, expresiones estrictamente personales.*

Rojo. Debo 45 quetzales. Todavía no sé si mañana me voy a Amatitlán; cuando venga Gualo tendré la certeza de sí o no.

Visité a la Sra. de Holst quien me atendió muy amable pero sus promesas, sinceras sin duda, están supeditadas a lo que diga el ministro de Salud Pública, quien ya me largó duro. Por la noche visité a Julia Valerini que ha perdido un chico y está con un dolor de cabeza bárbaro todo el día.

Dos días de largo, lleno de un frío extraño sobre todo la noche que pasé al raso, con temblores y qué sé yo. Fue después de un Festival de la Juventud que organizaba Myrna y al que fui acompañado por Hilda para variar, después me largué a la orilla del lago a dormir y vino la parte de temblores, etc. Al día siguiente, domingo, compré algo de provisiones en el mercado y me fui caminando muy despacito a la otra orilla del lago y en un lugar de solfataras me mandé una siesta terrible, traté de tomar mate pero el agua estaba demasiado amarga. Al caer la noche hice el fuego para el asado pero los palos eran malos, yo ya estaba con frío y el asado salió como el culo. Tiré la mitad al lago para que no quedara huella de la ignominia.

Me fui caminando despacito cuando me encontré con un borracho que hizo más corto el camino. Una camioneta nos alzó y aquí llegué.

El día lunes no tuvo ningún rasgo sobresaliente, salvo el anuncio por parte de Peñalver de que había un puesto de médico que él me está trabajando. La señora de Holst no conoce a ninguno del PAR, que es el partido que domina la sección a ver, lo suficiente como para pedirle una cosa de esa. Veremos.

Día de desesperanza consciente, vale decir no basados en crisis ciclotímicas, sino en el análisis frío de la realidad. Mi puesto como capataz en lo del argentino, lo tengo y es lo único fijo. De lo otro renuncié al de médico de los sindicatos, quedando en el aire un puesto en una comunidad campesina y otro conseguido por Helenita de Holst. Conocí a Pellecer,[1] personalmente, ni fu ni fa.

Lo demás sigue su curso de todos los días, conociendo gente a diestra y siniestra. Si la cosa sigue así, gano un tiempo el puesto de cartelero, como para pagar mis gastos y me los pico. Veremos.

Al fin recibo carta de casa y sé a qué atenerme con la yerba, nones. El día pasó muy fácil porque yo me sentía sin

[1] *Carlos Manuel Pellecer, dirigente campesino de filiación comunista.*

energía y me las tomé a mi cuarto a siestar. El capo Dícono no se fue, sólo su mujer, me regaló un mango como para tirar.

Tal vez mañana vaya al campo al puesto en la colonia.

Han pasado varios días, dos de ellos en la colonia La Viña, lugar espléndido, con un paisaje de las Sierras Grandes de Córdoba con material humano para trabajar en forma, pero falta lo esencial, las ganas de tener un médico costeado por ellos. Todo estuvo muy bueno, pero a la vuelta me encontré con que algo me había hecho mal y estaba tan mal del estómago, que tuve que vomitar todo lo que tenía, calmándome un poco. Al día siguiente lo pasamos en Chimaltenango, un pueblecito donde se hacía el Festival de la Juventud. El lugar era muy bonito y cada uno hacía lo que se le daba en gana, de modo que formamos el grupito de siempre con Hilda Gadea, el gringo y una hondureña [...]

El día lunes no tuvo nada de particular sólo que marca un nuevo día de acercarse a la meta: 1ro de mayo.

Tras de una fallada en la cuestión presentación, me fui a la finca con Peñalver y él expuso con bastante demagogia mi candidatura a la plaza. Me preguntó el director cuánto quería ganar y yo me achiqué hasta 100 quetzales por dos veces a la semana, con la condición de que ellos gastarán 25 mensuales en útiles de laboratorio. El sábado debo ir nuevamente a ver qué han resuelto sobre el particular.

Lo de la finca muy oscuro. Contestación diferida. Fui a Tiquisate y me falló el tiro, pero hay alguna esperanza de un puesto inferior, con casa y comida. Quedó sólo lo de la Sra. de Holst y luego lo del argentino, mañana se verá.

No es mañana, sino pasado y, por supuesto, no se ha visto nada, ni se verá al parecer, en un futuro cercano. Traté ya, completamente decidido, de ver a Guerrero pero no lo pude localizar. Lo único digno de mención es una carta de mamá en la que me avisa que Sara[1] está operada y bastante grave, ya que le encontraron un cáncer en el intestino grueso.

Hoy sí se me dio una alegría grande. Fue Julia Mejía que me presentó a García Granados y éste me dijo que me daba un puesto para ir al Petén con 125 dólares de sueldo. Falta la autorización del sindicato, que trataré de conseguir mañana. Si se hace será muy bueno. Mañana puede ser el día del nuevo desengaño o el gran día en Guatemala.

[1] *Sara de la Serna, hermana de la madre de Ernesto.*

Tengo optimismo.

Ya no tanto ni mucho menos. Hablé con Sibaja pero no me dio bola aparentemente, mañana a las cuatro me dará contestación definitiva sobre si ha influido o no en el jefe del sindicato, por otra parte, mañana también hablará Lily con el hermano. Probablemente quede en cero nuevamente. Veremos. El trabajo de Geografía sigue adelante a pesar de que hoy vagué bastante.

Dos nuevos días y hoy sí un poco de esperanzas. Ayer no pasó nada.

Sibaja no sirve para nada, pero hoy fui por mi cuenta a ver al señor jefe del sindicato. Un hombre con ganas de conservar su puesto, anticomunista, me parece que intrigante, pero al parecer dispuesto a ayudarme. No fui lo suficientemente cauto pero tampoco arriesgué mucho. El miércoles me da la contestación definitiva.

Dos nuevos días agregados al concierto de lamentos, pero con dos saldos positivos. Ayer fue la visita a la antigua casa del famoso hermano de Lily, muy monetizado pero con un buen consultorio y algo de laboratorio. La mujer es una italiana que me hizo aumentar las ganas de viajar por Europa. Tienen algo que les falta a las indoamericanas. Andaba con un poco de asma y como queriendo aumentar pero me mandé unas cuantas píldoras de Ross y se cortó. El suceso positivo de hoy fue la llegada de un kilo de yerba, además de una carta de Alberto y Calica en la que me anuncian guita y me hacen soñar un rato con aquello. El libro de Hilda sigue progresando poco a poco, pero bastante lerdo. Mañana veré de ir a Sanidad para estudiar un poco enfermedades parasitarias.

Dos días más en los que aparentemente no ha pasado nada. Sin embargo la cosa parece ya definitivamente aceptada en cuanto a la ida al Petén [...]

El Petén me pone frente al problema de mi asma y yo, frente a frente y creo que lo necesito. Tengo que triunfar sin medios y creo que lo haré, pero también me parece que el triunfo será obra más de mis condiciones naturales –mayores de lo que mi subconsciente cree–, que de la fe que ponga en ello. Cuando oía a los cubanos hacer afirmaciones grandilocuentes con una absoluta serenidad me sentía chiquito. Puedo hacer un discurso diez veces más objetivo y sin lugares comunes, puedo hacerlo mejor y puedo convencer al auditorio de que digo algo cierto pero no me convenzo yo, los cubanos sí.

Ñico[1] dejaba su alma en el micrófono y por eso entusiasmaba hasta a un escéptico como yo.

Ahora tres días y nada nuevo, salvo un ataque de asma que me tiene recluido en "mis aposentos". Es domingo e Hilda se fue al puerto, yo no me sentí con ánimo. Del puesto no hay nada definitivo aunque supongo que el resultado final sería sí. Estoy deseando que se resuelva en cualquier sentido para poder definir mi situación. Económicamente, los meses de selva sólo servirán para dejarme sin deuda y con una máquina fotográfica.

El porvenir, en cuanto a país, es oscuro, le escribiré a Alberto. Parece que el asma cedió un poco.

Mañana si no he mejorado mucho no me moveré de aquí. El trabajo no se resuelve pero parece que en principio está, dentro de dos días hay una nueva comunicación y puede ser que sea definitiva. Veremos...

Dos nuevos días bajo el sol, poco y mucho ha pasado. El puesto sigue a la deriva, pero da la impresión de que es mío. Hablé con el jefe del sindicato y me dijo que presentara una lista de cosas para exigir al contratista.

Dos días más y sin arreglar nada definitivamente. Yo ya digo que me voy al Petén aunque no tengo la menor seguridad de que eso sea así. Estoy por preparar una lista de cosas necesarias. Ardo por irme. El lunes tal vez esté todo decidido. Mañana se va Myrna a aventurar a Canadá.

Ya se fue Myrna dejando un saldo de corazones destrozados y sin saber ella lo que quiere, pero lo grave es que yo no sé si me voy. Siempre la misma incertidumbre...

Y otra vez malas noticias. Este es el cuento de nunca acabar. Ni siquiera me recibió el hijo de puta de Andrade y me hizo preguntar, por la mañana, qué quería, dos veces. Estoy en el aire y no sé qué hacer.

Dos días más en que nada pasó. Mi primitiva decisión de escribirle inmediatamente al Dr. Aguilar[2] quedó en la nada y quiero hacerlo sólo si hoy me contestan que no o con una nueva evasiva. También el licenciado García Granados estuvo frío. Sólo Julia me responde.

Del laburo minga. Todavía tengo en mi bolsillo la carta del Dr. Aguilar. Dentro de un rato trataré de ver al hijo de puta de Andrade para que me diga algo. Supongo que nada. Tengo toda mi correspondencia parada por culpa de esto.

El entusiasmo depende de la salud y de las circunstancias, ambas me fallan. El puesto del Petén parece cada vez

[1] *Antonio (Ñico) López, asaltante del Moncada y expedicionario del "Granma", muerto en la contienda.*

[2] *Doctor Juan Ángel Núñez Aguilar, agrónomo y economista hondureño, presidente en esos momentos del Instituto de Fomento de la Producción de Guatemala (INFOP).*

más lejano. Ya salió la carta para el Dr. Aguilar, pero, por supuesto, no he recibido aún contestación. El asunto se pone jodido. Ya no sé qué mierda hacer. Tengo ganas de volar a la mierda: Tal vez Venezuela.

Días más, si no suculentos en acontecimientos, sí en promesas. De Tiquisate ni noticias. De Buenos Aires, noticias de que murió mi tía Sara. Del Petén, ya no se nombra. De la pensión, que pague. Del gringo, que no le gusta la comida de la nueva pensión, que si no mejora me vaya yo por él. De la Sra. de Holst que me vaya a su casa a vivir. Esto es extractado lo último que pasó. Estoy practicando en el laboratorio de Sanidad por si me llaman de Tiquisate, en lo demás dejo hacer para ver qué pasa. El sábado, dentro de dos días, me comprometí pagar la pensión, un mes por lo menos, pero no sé con qué guita.

Han pasado varios días y una serie de acontecimientos nuevos, sin mayor importancia para el futuro, pero gigantesco hoy, se han producido. Las cosas se pusieron feas en la pensión cuando el sábado no pude pagar ni cinco centavos. Dejé en prenda mi reloj y una cadena de oro. Después de empeñar mi joyería me fui a Tiquisate y en el camino se me descolgó el asma, como presagio de lo que será aquello si me llego a ir. El doctor Aguilar fue nuevamente conciso; puesto hay de laboratorista, pero no sin tener todos los papeles arreglados. Ahora estoy en eso. La Sra. de Holst me invita a su casa; probablemente vaya pero todavía no he dicho nada definitivo... Mañana dejo de frecuentar la mierda para meterme en la sangre. Murió Sara de la Serna, tía mía, de una embolia provocada por una operación para extraerle un tumor maligno del intestino grueso. No la quería, pero me impresionó su muerte. Era una persona sana y muy activa y parecía lo más lejos posible de una muerte de ese tipo, lo que no obstante es una solución, ya que las condiciones en que la hubiera dejado la enfermedad hubiera sido terrible para ella.

Un día carente en absoluto de movimiento. Haya de la Torre pasó por Guatemala... Llegó carta de Gualo en la que me cuenta que ya le dieron visa al gordo Rojo. También una carta de Beatriz en la que me cuenta que sale otro kilo de yerba de Buenos Aires. Mañana veré al secretario del ministro para ver qué me cuenta de lo de la radicatoria.

Los días siguen pasando pero ya no me importan un queso. Tal vez, uno de estos me mude a lo de Helenita Leiva, tal vez no, pero de todas manera sé que el asunto tiene que arreglarse de alguna forma y no me caliento más los sesos.

En cuanto a puestos: la radicatoria hasta después de Semana Santa no hay nada que hacer, el ministro de Salud Pública dijo que pidiera donde quisiera y yo sé que en Livingston en la costa del Atlántico hay, y el lunes Helenita le pedirá ese puesto para mí. Hilda dice que me va a pedir un puesto en la OEA. Veremos qué hay de todo esto pero no me hago muchas ilusiones. Ya estoy decidido y uno de estos días voy a escribir a China para ver qué me dicen.

Nada nuevo bajo el sol.

Fuimos el domingo a San José Pinula donde hay una Ciudad de los Niños, cuyo nombre es un poco pretencioso porque son dos pequeños pabellones que albergan 40 chicos pero que como esfuerzo es interesante. El director es el licenciado Orozco Posadas, medio loco pero que ha hecho una obra digna de mérito. La ciudad es para chicos del reformatorio y se les da buena alimentación, buena casa, instrucción escolar y se les enseña a trabajar la tierra y un oficio. Los chiquilinos están encantados. De mis posibilidades de trabajo, sólo hay de nuevo lo de un profesor de estadística de Hilda que trabaja para la OEA y que Núñez Aguilar prometió hablarlo al Ministro de Relaciones Exteriores para que me dé la residencia.

Lo del profesor es jarabe de pico, no hay nada... a la vuelta de San Juan Sacatepéquez nos topamos con una procesión de encapuchados que llevaba a Cristo a cuestas con unas velas y unas caras patibularias, pasamos al lado de ellos y hubo un momento en que no me gustó ni medio, cuando pasaron los de las lanzas mirándonos feo.

Tuvimos que llegar a Guatemala en un jeep que cobró 5 dólares por 8 personas. El día siguiente, hoy, lo pasé escribiendo, comiendo en lo de Holst, jugando canasta, y viendo los libros del gringo, todos en inglés, pero muy interesantes. Mis progresos en ese idioma no son como para meterme con esos inmensos mamotretos, pero tengo varias revistas, entre ellas, una fisiología del sistema nervioso de Pavlov.

Han pasado varios días sin que suceda nada que cambie este tipo de vida tan pelotudo... El gringo me invitó a ver una película sobre Rimsky-Korsacov, rusa. Muy buena música y una mujer que emocionaba cantando, pero como siempre la trama era pesada y lenta y los actores no muy eficaces en sus papeles, salvo el personaje central que estaba muy natural.

Mi permiso de residencia sigue como hasta ahora en el aire. Núñez Aguilar se mueve y pide, pero no sé si le darán bola, veremos.

Núñez Aguilar se mueve y pide pero no tanto y yo tampoco hago gran cosa por eso. Lo demás, sigue todo igual, salvo que Hilda me contó que se piensa ir a China, y da la casualidad que por uno o dos años. Yo le aconsejé que pensara bien las cosas. Evidentemente está por largar el APRA. Yo sigo con mi sistema de comida. Mamá me escribe que Sara le dejó $250 000 en el testamento, lo que le va a venir muy bien.

Son días sin movimiento ninguno. Qué es lo que va a suceder no sé, lo único cierto es que vivo y que no pierdo el tiempo del todo. Recibí de Buenos Aires otro kilo de yerba. Claro que ahora es diferente porque la vieja tiene "tapín". No sé cómo seguirá el asunto residencia, supongo que igual; mañana le voy a hablar a Núñez Aguilar para ver qué resultó de todo esto.

Otros días que no agregan nada a Guatemala. La residencia hay momentos que se pone pesada y otros en que parece que la consigo. Morgan resultó un boludo. Fui con el gringo a Chimaltenango en el ómnibus del Ministerio de Educación. Se le ponía a una escuela el nombre de Pedro Molina, el prócer guatemalteco. Don Edelberto dijo algo bien dicho pero el de la STEG que habló, no hizo más que repetir lugares comunes de politiquería.

Mi decisión está tomada. Inquebrantable y heroica: me mando mudar a la mierda dentro de 15 días, si no se ha resuelto nada de la radicatoria. Pienso hacerlo de juego; ya avisé a la pensión, e ir poniendo cada cosa a buen recaudo, donde corresponda, en cajas que le pediré a Ernesto Weinataner. De lo demás, poco que informar, vimos una representación de *Electra* de Sófocles, muy mala. Llegó un kilo de adrenalina que manda Alberto desde allá, Venezuela, y una carta en que me pide que vaya o mejor dicho me ofrece que vaya. No tengo muchas ganas.

Llegaron los remedios que Alberto me mandaba desde Venezuela, en cantidad y calidad, de modo que eso sólo bastó para elevarme el espíritu, pero además, ya me citaron de la policía, que es un paso previo a la residencia después de soportar en el Ministerio un asedio peor que el de Dien Bien Phu, cuya caída refuerza la convicción de que el Asia se liberará de los colonialistas.

Mi vida transcurre tan exactamente igual que casi no vale la pena contar nada. El lunes pienso iniciarme en la Cardiolopina y la Halner para dejar el viernes todo listo para partir de esto que tengo pagado hasta el sábado. No creo que mis asuntos se solucionen antes de esa fecha, de modo que me iré a Quezaltenango, me estaré allí los días que pueda y luego volveré un día para acelerar las cosas y me tiraré nuevamente a campo travieso. Veremos (fórmula abandonada hace algún tiempo).

Se acerca el día en que tome un rumbo cualquiera. Ya me quemé las naves anunciando con bombos y platillos que me iba. Si Lily mantiene invitación, me iré a Quezaltenango [...] si no me largo al lago y trato de subir a algún volcán. Si no hay nada de eso, me largo a la zona de Quiriguá. Si puedo con la máquina del gringo. La residencia está completamente estancada y no sé cuándo saldrá y no me importa tampoco. Ya Julia Mejías me prestó una valija para que la llene de libros y se los mande para guardarlos. La ropa probablemente la deje en lo del gringo porque Helenita no me habló más por teléfono, de modo que se me acabaron las gangas. Salió una noticia que indicaría que ahora el ejecutivo va a despachar los reválidos y en 15 días, sería magnífico si es cierto y me dan la residencia. De Buenos Aires tengo la noticia de que me vienen por barco 4 kilos de yerba, será dentro de dos meses, pero no importa, además me vendrá el *Gráfico*. No hay nada nuevo en ningún otro orden.

Ha pasado mucha agua bajo los puentes. El día anunciado dejé la pensión en medio de la consternación de toda la familia. Ese día fui con Hilda a San Juan Sacatepéquez [...]. Dormí allí toda la noche aguantando chubascos y con la compañía de la mochila allí dentro pues no podía dejarla a la intemperie. Tenía asma al ir, pero estaba casi bien al volver. Al mismo tiempo se resolvió el asunto pendiente en Relaciones Exteriores, en el sentido de que tenía que rajar del país, pero Zochinson me consiguió 20 dólares y después de unos días de dormir en lugares diferentes me largué a El Salvador.[1] Al principio tuve dificultades en la frontera pero luego se sobornaron y en Santa Ana me dieron la visa correspondiente para 6 meses de permanencia en Guatemala, al parecer se solucionaron algunas dificultades en esto.

En El Salvador me encontré con un mexicano que estaba varado por no sé qué inconveniente con los papeles de salida y tuvo que regresar a San Salvador, yo lo encontré en la frontera. Nos hicimos amigotes y me dio su dirección para

[1] *En* Aquí va un soldado..., *Ob. cit., aparece una carta sin fecha, donde explica a la familia los detalles del recorrido. El padre presume que podría ser de fines de abril de 1954. (Ver Anexo.)*

cuando fuera a México. Pedí la visa a Honduras, la que se resolvería el sábado a la noche, pero yo me fui al puerto y me estuve viernes, sábado y domingo, de modo que no sé nada de la visa. En San Salvador le hablé al médico amigo de Hercilia que no la reconocía por Sra. Guevara y recién arrancó con el Hernández, mañana lunes lo iré a visitar un rato y luego partiré para Honduras o Guatemala, según me den o no la visa. En el puerto la vida estuvo muy buena, pero me quemé demasiado, con el resultado que el último día no pude casi bañarme pues salir al sol hubiera sido criminal para mí.

El régimen lo tiré a la mierda y ya se ven las consecuencias. Mi próxima ruta se decidirá mañana.

Un día de San Salvador, un día de no diré aburrimiento pero sí de desencanto, angustia disfrazada de hambre, o viceversa, tal vez. No hay noticias de Honduras y sólo espero hasta mañana, pues, se acaban mis reservas de dólares. Conocí al matrimonio Moreno, muy amables, muy simpáticos pero no me invitaron a comer, les daré mañana una carta para Hercilia, ya que se van para Estados Unidos la semana próxima. Me pasé el día leyendo una Historia Antigua del Salvador que pienso acabar mañana y también mañana visitar el museo. Tiré el régimen por la ventana, veremos qué pasa.

Fui a entregar al matrimonio Moreno una carta para Hercilia y me invitaron a comer; no era muy abundante la comida pero lo suficiente para poder aguantar el hambre. Tomé enseguida la camioneta para Santa Ana, de allí a Chalchuapa, a las ruinas de Tazumal, pero me encontré con que estaban cerradas al público, de modo que tuve que acampar estratégicamente debajo de un foco y ponerme a leer. Al rato picó una señora y me convidó con agua caliente y una hamaca para dormir. Hablando de Guatemala, yo como siempre metí la pata y dije que allí había más democracia que en El Salvador y resultó que el dueño de casa era el comandante del pueblo.

Las ruinas de Tazumal son una parte de un vasto conjunto edilicio que abarca varios kilómetros, quedando en pie sólo los templos. Hay vestigios de la mezcla de la civilización maya con los conquistadores Tlascatelcas que darían la raza pipil. El edificio principal es una gran pirámide cuadrangular, probablemente coronada por un templete que ya no existe. La construcción es en forma de escalones y se hizo de piedra y barro al que recubrieron con una mezcla arcillosa muy semejante al actual cemento; el conjunto no tiene la solemnidad de las construcciones incas. Como ornamentos sólo dos o tres dibujos incisos que ya no existen pues la intemperie los liquidó y que no dan una idea exacta de quiénes fueron sus habitantes.

La construcción íntegra estaba tapada con tierra y formaba un montículo arbolado que pasó desconocido muchos años. En 1942 un arqueólogo norteamericano, Boxh, empezó las excavaciones que hasta ahora siguen con gran éxito, a pesar de las pobres partidas que el gobierno salvadoreño da para ello. El sistema de construcción parece haber sido concéntrico, cubriendo un templo con el siguiente, quedando a su vez más grande. Cada período de tiempo que ahora se desconoce pero podría ser los 52 años del siglo del calendario maya. Hay trece capas concéntricas y las últimas forman, además de la pirámide, un juego de pelota y un escenario semicuadrangular. Al lado de la gran pirámide de tipo predominantemente maya, hay una mucho más pequeña que presenta todas las características de ser pipil, mucho más chica, estaba, no obstante, trepando sobre la otra. Probablemente también estuviera coronada por un templo pero no quedan ni vestigios de él. En la gran pirámide, las últimas capas, que soportaron sin cuidado alguno la intemperie, fueron las que sufrieron más y algunas están casi totalmente perdidas. Dejé mi dirección al encargado y me fui a dedo hasta San Salvador, pues me había olvidado de sacar el permiso de salida, apenas hecho esto tomé una camioneta hasta Santa Techa y de allí fui dedeando hasta llegar oscureciendo a Santa Ana, durmiendo en la salida de la carretera a la frontera.

Temprano me fui caminando pero enseguida un jeep me dio un "jalón", después un auto me llevó hasta la frontera y posteriormente hasta Progreso, de donde me tiré caminando unos veinte kilómetros hasta que me alzó un camión y me llevó más allá de Jalapa. Es esta una región muy bonita que va subiendo progresivamente, llena de pinos verdes y tapiada casi por las nubes bajas, tiene un encanto especial de un tipo que no había visto hasta ahora en Guatemala, aunque no descarto que lo que pasara es que no me había encontrado antes en parecida situación. Ya muy cansado inicié la bajada a pie. La mochila se volvió de plomo y el portafolio me lastimaba los dedos, de modo que apenas se puso la noche caí a la casa que primero apareció y pedí alojamiento. Allí hice el gran negocio de todo el viaje, pues me cambiaron una linterna buena por una que es una porquería y yo de pelotudo hice el cambio.

Salí perezoso hacia abajo, pero los hombros y los pies me frenaban completamente. Un camión me alzó pero me cobró bien: 0,40 para llegar a la estación Jalapa, de donde tomé el tren hasta Progreso. Allí una mujer se apiadó de mí y me regaló 0,25. Me tiré a pie, pero no hice más de una legua de las de acá (4 kilómetros) cuando ya pasó un jeep que me llevó hasta el Ranchito, por donde pasa el Motagua, un río de 100 metros de ancho que todavía es algo torrentoso a esta altura. Allí me bañé y lavé mi ropa, acondicionándome los pies con papeles para que aguantaran algo más y luego seguí caminando unos 5 kilómetros hasta llegar a un río algo hondo en el que no hay puente. Un camión de obreros del camino me alzó llevándome hasta Uzumatlan donde dormí. Aquí mi tejido de cuentos era algo fabuloso y me veía en figurillas para armonizar las diferentes versiones. La ruta al Atlántico está bastante adelantada y para hacerla transitable sólo faltan los puentes, pues los ríos en esta época del año están crecidos y no siempre se pueden vadear.

Salí temprano al día siguiente caminando unos trece kilómetros a pleno sol antes de sentar bandera y hacerme llevar por un camión hasta una estación [ ],[1] de donde tomé el tren a Quiriguá y enseguida me fui a ver las ruinas que están a 2 millas exactas de la estación. Las ruinas no son importantes y sólo constan de una serie de estelas y piedras zoomorfas con algunas construcciones de piedra poligonales que recuerdan bastante a las ruinas menos importantes de los incas. En este tipo de construcción no alcanzaron los mayas ni remotamente la calidad refinada de los Incas pero se nota cierto parentesco. Cuando se nota la superioridad manifiesta sobre los Incas es en el tallado de las piedras calizas, donde alcanzaron formas verdaderamente sugestivas que recuerdan mucho a las ruinas indostánicas del Asia. Particularmente, hay una estela que presenta una figura de cara redondeada vestida con una especie de babuchas orientales y las rodillas plegadas que semejan mucho un retrato de Buda. Hay otro con una cara

[1] *Ilegible en el original.*

de las mismas características, acabada en una pera de forma triangular como una barba del tipo de la de Ho-Chi-Minh. Una de las piedras zoomorfas tiene toda una serie de esculturas o bajorrelieves que según el letrero están consideradas como la cumbre de la escultura aborigen americana. Sin embargo Morley trae fotografías de esculturas que me parecen superiores. De todas maneras, el paisaje es hondamente sugestivo, con su silencio, con los grandes árboles y el pasto que recubriera ahora esas estelas tan esotéricas con sus jeroglíficos bien pulidos y acariciantes. Si no fuera por los letreros y la barandilla de metal que circunda cada monumento se diría que hemos tomado la máquina del tiempo de Brick Bradford, el héroe de las historietas. Dormí en el suelo de la estación, resguardado de los mosquitos por la bolsa que me está siendo utilísima.

Me presenté por la mañana al Dr. Díaz, un indio reaccionario pero que me trató con la indispensable cortesía de darme de comer en el hospital. Un mozo de comedor que además era fotógrafo de toda la zona fue a acompañarme a las ruinas y sacó 6 fotos, cobrándome sólo el rollo y regalándome algunas más, pero de todos modos quedaba muy disminuido en mis fondos aunque todavía alcanzaba para volverme, sin embargo decidí tirarme a lo macho para Puerto Barrios, pero el tren estaba atrasado por un derrumbe y después de las 12:30 llegué, durmiendo en la estación.

Al día siguiente se presentó el peliagudo problema de conseguir trabajo, cosa que conseguí en las obras de la ruta Atlántico. El trabajo es de 12 horas seguidas de 6 de la tarde a 6 de la mañana, y es bastante matador aún para tipos con más traine que yo. A las 5:30 éramos autómatas o "bolos" como dicen aquí a los borrachos.

Trabajé un segundo día, el día crítico con mucho menos ganas pero lo pasé completo, señal de que podía seguir, sin embargo uno de los caporales se ofreció a conseguirme un pase en el ferrocarril, lo que es muy bueno pues esto no lo pagan sino después de varios días de acabado el trabajo. Este ya es más liviano y si no fuera por los zancudos que joden de lo lindo y la falta de guantes que convierten las manos en llagas, sería, muy pasable. Toda la mañana la pasé adormilado en mi "residencia" al lado del mar, después de hacer un somero lavado a mis medias y camisas. Estoy convertido en un chancho perfecto, lleno de polvo y asfalto de la cabeza abajo, pero realmente contento: conseguí el pasaje, la vieja donde comía fiado me dijo que le pagara un dólar en Guatemala al hijo y yo me demostré que soy capaz de aguantar lo que venga y o fuera por el asma más de lo que venga.

Ahora voy instalado en el tren dándome un banquete con un dólar que me regalara un capataz semilustrado.

Han pasado días en que ocurrieron y no ocurrieron cosas. Tengo la firme promesa de un puesto de ayudante con un médico sanitario. Devolví mi dólar. Visité nuevamente a Obdulio Barthe, el paraguayo que me cagó a pedos por mi conducta y me confesó que él sospechaba que yo era agente de la embajada argentina, además supe que es la sospecha general esa u otra parecida, pero el líder hondureño Ventura Ramos opina que no. Como continúa la bronca de Mrs. Holst, yo como de contrabando una vez al día y duermo con Ñico el cubano, cagado de risa todo el día pero sin hacer nada. El lunes Ñico se va y pasaré entonces a otra pieza de un amigo guatemalteco llamado Coca. En la misma pieza que Ñico duerme un cubano que canta tangos y que me invitó a irme con él a pie por el sur hasta Venezuela; si no fuera por el puesto que me prometieron me largaba. La residencia dicen que me la van a dar y Zochinson pasó ahora de jefe de Inmigración [...]

Nuevamente los días se suceden sin que nada nuevo pase. Estoy en la pensión acompañado por el cubano cantor, ya que Ñico se fue a México. Por el puesto voy un día y luego otro y nada, ahora me dijeron que dejara pasar la semana y yo no sé bien qué hacer, yo no sé si los compañeros siguen empeñados en que yo no tenga nada o qué. De Buenos Aires llegan pocas noticias. Helenita parte con rumbo desconocido y se me acaba el rebusque pero me va a llevar a casa de una tía que me dará el almuerzo, además le va a hablar al ministro por teléfono. Yo estoy con un buen ataque de asma provocado por las cosas que comí en estos días, espero que me pase en 3 días de riguroso régimen.

Los últimos acontecimientos pertenecen a la historia, cualidad que creo que por primera vez se da en mis notas. Hace días, aviones procedentes de Honduras cruzaron las fronteras con Guatemala y pasaron sobre la ciudad, en plena luz del día ametrallando gente y objetivos militares. Yo me inscribí en las brigadas de sanidad para colaborar en la parte médica y en brigadas juveniles que patrullan las calles de noche. El curso de los acontecimientos fue el siguiente: luego de pasar estos aviones, tropas al mando del Coronel Castillo Armas, emigrado guatemalteco en Honduras, cruzaron las fronteras avanzando sobre la ciudad de Chiquimula. El gobierno guatemalteco, que ya había protestado ante Honduras, los dejó entrar sin ofrecer resistencia y presentó el caso a las Naciones Unidas.

Colombia y Brasil, dóciles instrumentos yanquis, presentaron un proyecto de pasar el caso a la OEA que la URSS rechazó pronunciándose por la orden de alto al fuego. Los invasores fallaron en su intento de levantar a las masas con armas que tiraban desde aviones, pero capturaron la población de Bananera y cortaron el ferrocarril de Puerto Barrios. El propósito de los mercenarios era claro, tomar Puerto Barrios y de allí recibir toda clase de armas y las tropas mercenarias que les llegaran. Esto se vio claro cuando la goleta "Siesta de Trujillo" fue capturada al tratar de desembarcar armas en dicho puerto. El ataque final fracasó pero en las poblaciones mediterráneas los asaltantes cometieron actos de verdadera barbarie asesinando a los miembros del SETUFCO (Sindicato de Empleados y Trabajadores de la UFCO)[1] en el cementerio donde se le arrojaba una granada de mano en el pecho.

Los invasores creían que a una voz de ellos todo el pueblo se iba a largar en su seguimiento y por ello lanzaban armas con paracaídas, pero éste se agrupó inmediatamente a las órdenes de Arbenz. Mientras las tropas invasoras eran bloqueadas y derrotadas en todos los frentes hasta empujarlas más allá de Chiquimula, cerca de la frontera hondureña, los aviones piratas continuaban ametrallando los frentes y las ciudades, siempre provenientes de bases hondureñas y nicaragüenses. Chiquimula fue bombardeada fuertemente y sobre Guatemala cayeron bombas que hirieron a varias personas y mataron a una chiquita de 3 años.

Mi vida transcurrió de esta forma: primero me presenté a las brigadas juveniles de la Alianza donde estuvimos varios días concentrados hasta que el Ministro de Salud Pública me mandó a la Casa de Salud del Maestro donde estoy acantonado. Yo me presenté como voluntario para ir al frente pero no me han dado ni cinco de bola. Hoy sábado 26 de junio, llegó el ministro, mientras yo me había ido a ver a

[1] *United Fruit Company.*

Hilda; me dio mucha bronca porque pensaba pedirle que me mandara al frente [...]

Una terrible ducha de agua fría ha caído sobre todos los admiradores de Guatemala. En la noche del domingo 28 de junio el Presidente Arbenz hizo la insólita declaración de su renuncia. Denunció públicamente a la frutera y a los EU como los causantes directos de todos los bombardeos y ametrallamientos sobre la población civil.

Un buque mercante inglés fue bombardeado y hundido en el puerto de San José y los bombardeos continúan. En ese momento Arbenz anunció su decisión de dejar el mando en manos del Coronel Carlos Enrique Díaz. El Presidente dijo que hacía esto llevado por su deseo de salvar la revolución de octubre e impedir que los norteamericanos llegaran a estas tierras como amos. El Coronel Díaz, en su discurso, no dijo nada. Los partidos PDR y PRG dieron sendos acuerdos llamando a sus afiliados a cooperar con el nuevo gobierno. Los otros dos, PRN y PGT,[1] no dijeron nada. Me dormí con un sentimiento de frustración frente a los hechos. Había hablado con el Ministro de Salud Pública y pedido nuevamente que me mandaran al frente, ahora no sé qué hacer. Veremos qué nos trae el día de hoy.

Dos días densos de acontecimientos políticos aunque personalmente no hayan significado gran cosa para mí. Los acontecimientos: Arbenz renunció frente a la presión de una misión militar norteamericana que amenazó con bombardeos masivos y con la declaración de guerra de Honduras y Nicaragua lo que provocaría la entrada de Estados Unidos. Lo que quizás no previera Arbenz fue lo que siguió. En el primer día se agregaron a Díaz, los Coroneles Sánchez y el Fejo Monzón reconocidamente anticomunista y el primer decreto fue declarar ilegal el PGT. La persecución empezó inmediatamente y las embajadas se llenaron de asilados, pero al día siguiente temprano vino lo peor, cuando Díaz y Sánchez renunciaron, quedando Monzón al frente del gobierno con dos tenientes coroneles de subordinados. Se entregaron totalmente a Castillo Armas, según *vox populi* y se decretó la ley marcial a todo el que fuera encontrado con armas de calibre prohibido en la mano. La situación personal es más o menos así: yo seré expulsado del hospitalito donde estoy, probablemente mañana ya que estoy renombrado como "chebol",[2] y la represión se viene. Ventura y Amador están asilados, H. se mantiene en su

[1] *Partido Guatemalteco del Trabajo.*

[2] Bolche *al revés.*

casa, Hilda cambió de domicilio, Núñez está en su casa. Los altos capos del partido guatemalteco están asilados. Se dice que Castillo entrará mañana; yo recibí una linda carta que guardo aquí para los nietos.

Pasaron varios días en los que los acontecimientos no tuvieron el ritmo afiebrado de los anteriores. Castillo Armas obtuvo un triunfo completo. La junta quedó integrada por el Fejo Monzón como presidente y Castillo Armas, Cruz, Dubois y el Coronel Mendoza. Dentro de 15 días se hará una elección dentro de la junta para ver quién queda como jefe; por supuesto, Castillo Armas. No hay Congreso ni Constitución. Al juez de Salamá, Ramiro Reyes Flores lo fusilaron después que éste se había muerto un guardia al tratar de ganarlo. El pobre Edelberto Torres está preso acusado de comunista, quién sabe cuál será la suerte que corra el pobre viejo. Hoy 3 de julio entró el "libertador" Castillo Armas, la gente lo aplaudió mucho. Yo vivo en casa de dos salvadoreñas que se han asilado, una en Chile y otra en Brasil, con la viejita que se manda cuentos de las fechorías de su marido y otros bastante interesantes. Del hospitalito me sacaron cagando y ya estoy instalado aquí...

Lo de los asilados sigue igual. Ya se pasó la novedad y está todo tranquilo. Helenita se fue hoy en avión. El alemán cada vez me ve con peores ojos. A él no lo visitaré sino una vez para sacar algunas cosas y los libros que tengo.

Han pasado cosas de alguna gravedad. En el orden político no, ya que lo único es la calificación del voto, negándoselo al analfabeto. Eso en un país con 65% de población adulta analfabeta es reducir a un 35% la cantidad de gente que vote. De ese 35 puede haber un 15 que esté a favor del régimen. El fraude no tendrá entonces que ser muy grande para ser electo el probable "candidato del pueblo" Carlos Castillo Armas. Lo grave fue la despedida que me hacen de la casa donde vivía, ya que Yolanda, la otra hermana de las asiladas, está aquí, y levanta la casa para ir a San Salvador llevándose a las hermanas. Voy a ver si me voy a la casa de la tía de Helenita.

Ya estoy aquí instalado en la nueva casa. Como siempre seguía yendo a la embajada Argentina pero hoy ya se acabó la cosa. Sin embargo, pude entrar por la tarde gracias a que era 9 de julio. Hay un nuevo embajador Torres Gispena, un petiso cordobés pedante. Morfé variado pero con merma.

Estoy hecho un cabrón. Conocí a varios tipos interesantes dentro de la embajada . Uno de ellos es Aguilez, que escribió un libro sobre la Reforma Agraria, otro es el Dr. Díaz, un pediatra salvadoreño, amigo de Romero, el de Costa Rica.

El asma me está jodiendo como consecuencia de lo que comí en la embajada. Las demás cosas no varían mayormente. Recibí carta y una foto de mi vieja y carta de Celia y Tita Infante.

El Cheché[1] se debe haber asilado ya a estas horas pues quedamos en que a la 6:30 se presentaría a la embajada. Mis proyectos son muy fluidos pero lo más probable es que vaya a México, aunque entra en mis cálculos de posibilidades el ir a Belice a probar fortuna.

[1] José Manuel Vega Suárez, cubano exiliado en Guatemala.

Belice queda lejos. Lejos o cerca, no sé bien porque estoy en uno de esos momentos en que una pequeña presión de costado puede torcer mi rumbo completamente. Si todo sale bien, dentro de un rato estaré en el consulado bien resguardado pues ya pedí y se me concedió el asilo. Uno de tantos días en que andaba por allí, cuando ya había acabado el artículo y pensaba ir a lo de Hilda, me encontré con una chica, hermana de la dueña de la pensión donde Hilda vivía, que me contó que había llegado la guardia del ejército de liberación y se había llevado a la dueña de la pensión y a ella. A la dueña la largaron rápido, Hilda todavía está en la cueva. Yo anduve unos días al garete pero al final me asilé y aquí estoy gozando de la fresca viruta en compañía de un heterogéneo grupo de personas entre las que sobresale el Cheché.

Han pasado varios días de asilo. Hilda ya salió libre, según parece, pues el diario informó que había llevado una huelga de hambre y el ministro le había prometido salir hace dos días. El asilo no puede calificarse de aburrido pero sí de estéril, ya que no se puede dedicar uno a lo que quiere debido a la cantidad de gente que hay. Mi asma anda mal y ya tengo ganas de irme a la mierda pues se me crea un problema con la visa para México. Hilda no viene por aquí. No sé si por ignorancia de donde estoy y que puede visitarme o porque no puede. Si no hay mayor peligro, voy a salir para poder irme tranquilamente por el lago Atitlán. Políticamente no ha pasado nada, fuera de que ha sido acusado de inconstitucional el decreto 900 sobre Reforma Agraria.

Han pasado varios días más en un ambiente bastante estéril. De las personas asiladas, todas bastante buenas, la más interesante es Pellecer. Yo ya tengo mi comida especial o más o menos especial y tomo sol todas las mañanas de modo que no tengo ningún apuro en irme. De Hilda no sé absolutamente nada. Yo le mandé un mensaje pero no me contestaron nada, no sé si llegó. La situación política no ha variado, salvo que aumentaron las medidas persecutorias. Con Pellecer tuvimos una discusión sobre la resolución de Arbenz de renunciar a la presidencia. No me parece que tenga él mismo una idea muy clara de si la situación fue resuelta en la mejor forma posible. Yo creo que no.

Pasaron varios días más de encierro que se caracterizaron por un profundo aburrimiento, por un ataque regular de asma, la ruptura de dos vaporizadores y la búsqueda de los que tenía en casa de Helenita, encontrándome con la sorpresa de que ella había llegado a Guatemala. La vida transcurre monótona e indisciplinada con discusiones sin sentido y perdiendo el tiempo en cualquier forma posible.

El acontecimiento fue un cañoneo continuo que se oyó el día lunes desde la madrugada. Costaba imaginarse qué pasaba, pero poco a poco empezaron a circular rumores, que enhebrando pudieron hacer una imagen de la realidad: un desfile del día anterior, de tropas del ejército regular y de liberación había servido para humillar al ejército regular, posteriormente unos cadetes fueron vejados por algunos integrantes del ejército de liberación y esto encendió el polvorín. Al principio fue un movimiento de sólo los cadetes contra el ejército de liberación, al correr el día ya todo el ejército se había plegado a los cadetes pero sin mayor energía. El resultado fue que los cadetes hicieron rendir al ejército de liberación y desfilaron con las manos en alto por la ciudad. En ese momento el ejército controlaba totalmente la situación y hubo cierto intento de dar golpe, pero como siempre, los militares fueron irresolutos. Al día siguiente, Castillo Armas en un discurso inconexo hablaba "babosadas" al pueblo, que silbaba a Monzón pero al parecer ya era dueño de la situación, pues la base aérea se le había plegado nuevamente. Tomó presos a varios militares e iniciaron nuevamente la vociferación anticomunista, apoyada por la reacción. La impresión es que Castillo Armas se mantiene debido al apoyo yanqui y a la inestabilidad e indecisión de la gente del ejército. De los salvoconductos no se sabe nada nuevo, mi nombre no figura en la lista de asilados.

Han pasado varios días sin jalones que marque mi estadía en la embajada. El gobierno de Castillo Armas está totalmente consolidado. Se tomaron presos a varios militares y sanseacabó. La convivencia con los personajes que duermen conmigo en la cancillería me hace que les haga un somero análisis a cada uno. Empiezo por Carlos Manuel Pellecer: por lo que pude averiguar fue alumno de la politécnica en época de Ubico, siendo procesado y dado de baja. Fue a México y luego apareció como agregado en las embajadas de Guatemala en Inglaterra y Europa, ya comunista. Aquí era diputado y dirigente campesino en el momento de caer Arbenz. Es un hombre inteligente, valiente al parecer. Tiene gran ascendiente sobre todos los camaradas asilados, ascendiente que no sé si dimana de su propia personalidad o del hecho de ser dirigente máximo del partido. Se para siempre derecho con los pies juntos, en posición de firme. Hizo algún libro de versos en años anteriores, enfermedad muy difundida por esos lares. Su ilustración marxista no tiene la solidez de otras figuras que he conocido y la esconde detrás de cierta petulancia. La impresión que me da es la de un individuo sincero pero exaltado, uno de esos personajes ambiciosos a los que un traspié colocan en situación de renegar violentamente de su fe pero capaz de realizar los más altos sacrificios en un momento dado. En otras conversaciones con él me di cuenta de que el problema agrario lo posee a fondo.

Otro día en la sucesión, con el antecedente de que brilla en lontananza el resplandor de 120 certificados que dicen darán en esta semana. A mí eso no me interesa pero estoy pendiente de la llegada de Hilda pues la mandé a llamar para ver qué pasa afuera. El análisis de hoy, Mario de Armas, es cubano, del partido ortodoxo que fundara Chibás, no es anticomunista, muchacho simple, fue ferroviario en Cuba e intervino en el frustrado ataque al Cuartel Moncada, se asiló en la embajada guatemalteca y de allí vino acá. No tiene preparación política de ninguna clase y es un despreocupado muchacho cubano medio, pero es un buen compañero y se nota que es noble.

En el día pasado ya se anunció que se darían salvoconductos a los extranjeros, de modo que se formó un despelote bárbaro. Se inició también un certamen de ajedrez en el que gané las dos primeras partidas, una de ellas a uno de los 4 mejores jugadores, entre los que estoy yo. Un jugador regular le ganó al que yo le tenía más miedo, de modo que quedamos dos de relativo cuidado en mejores circunstancias.

El de hoy, José Manuel Vega Suárez, alias Cheché: cubano, bruto como un cascote y mentiroso como un andaluz. De su vida en Cuba no sé nada cierto, salvo que hay indicio de que fue lo que se llama un "jodedor", y que la policía de Batista le dio una paliza de órdago y lo tiró a la vía del tren. Era anticomunista. Aquí divierte por su exageración sin malicia. Es un niño grande, egoísta y malcriado que cree que todo el mundo debe supeditarse a sus caprichos. Come como un biguá.[1]

Ya se anunció la entrega de salvoconductos y figuran en ella los dos cubanos y el ingeniero nicaragüense Santos Benatares. Es especializado en Estados Unidos y de él sé que era integrante de la directiva de los nicaragüenses en el exilio. A raíz de la detención del nica Fernando Lafuente, éste dijo que podía dar referencia de él un ingeniero nicaragüense, le preguntaron si era especializado en Estados Unidos, dijo que sí y sin averiguar más lo metieron al bote. A la caída de Arbenz fue liberado pero ya quedó con fama de espía, yo creo que apresuradamente puesta. Se ha mostrado como una persona inteligente, hasta cierto punto marxista, perfectamente situado en el panorama internacional. Es un escéptico y no es un luchador. Su actitud es claudicante y yo creo que por exceso de análisis. Es buen compañero, meticuloso como buen ingeniero, es un poco pesado, pues su manía de análisis lo lleva a extremos hasta en casos de poca monta. Su análisis de la plusvalía fue interesante, tengo que estudiar el punto.

Todo está complicado como la puta. Yo no sé cómo mierda voy a salir de aquí pero de alguna manera será. Recibí carta de Hilda donde me comunica que Helenita Leiva está presa. Por un lado me alegro para que no existan sospechas sobre ella pues los comunistas la consideraban sospechosa. Mientras llegan los salvoconductos, Roberto Castañeda: guatemalteco, su profesión es fotógrafo en la que no brilla mucho, además es bailarín. Me hace la impresión de una persona de temperamento artístico, de inteligencia despejada, y de afán de perfeccionamiento en todo lo que hace.

[1] *Ave acuática del río La Plata.*

Viajó tras la Cortina de Hierro y es un sincero admirador de todo aquello aunque no ingresara al partido. Le falta conocimientos teóricos de marxismo y quizás no sea un buen militante por esas taras burguesas digamos, pero es seguro que en el momento de la acción será de la partida. Me impresiona como un magnífico personaje por sus condiciones en la vida de relación y no tiene prácticamente ninguno de los afeminamientos del bailarín.

Otro día agregado sin mayores conquistas a mi lacra de vago. Florencio Méndez: del PGT. Estuvo en Chiquimula con las tropas del gobierno y vio caer la plaza por la traición de sus defensores o mejor dicho del alto mando defensor. Es un muchacho simple, sin mayor cultura y también sin inteligencia. La cultura marxista es nula y actúa como simple máquina obedeciendo consignas. Es un muchacho alegre y despreocupado que probablemente tenga una tara constitucional ya que aquí mismo en el asilo tiene un hermano que bordea la oligofrenia. Evidentemente valiente y leal, en su despreocupada eficacia de autómata puede llegar a las cumbres del sacrificio por un ideal.

Otros dos días que transcurren sin que nada bueno haya que agregar a lo dicho en general. Luis Arturo Pineda: guatemalteco de 21 años, del PGT. Es un muchacho serio, orgulloso de su eficacia militante y creyente firme en la infabilidad del partido, sus aspiraciones máximas serán ser secretario del partido en Guatemala, tal vez en Latinoamérica y estrechar las manos de Malenkov. Desde su ortodoxia militante mira con desprecio todo lo que no está sujeto a la disciplina partidista. Se considera muy inteligente y no lo es, aunque tampoco es tonto ni mucho menos. Su eficacia militante lo lleva a cualquier tipo de sacrificio por el partido.

Han pasado dos días más en que el único entretenimiento fue esperar la llegada de Hilda, que estuvo dos veces en la puerta y no pudo entrar. De asma no estoy muy bien por lo que me voy a purgar y hacer ayuno el día de mañana. Felicito Alegría: es un muchacho callado, humilde, cuya dote de inteligencia no puedo precisar debido a su retraimiento. Da la impresión de ser un elemento de choque de altas virtudes combatientes, parece de gran firmeza. Marco Tulio de la Roca: guatemalteco de 20 años, al parecer hace versos, pero aquí no lo demuestra. Es serio y callado también, pero tiene una sonrisa medio tristona que refleja un cerebro fatalista que piensa. No creo que tenga militancia política activa.

Hercilia escribió de Nueva York contestando una carta mía y contándome lo de María Luisa, parece que es serio. En cuanto al retrato diario, Gillete: creo que es un osado. Es un muchachito de unos 18 a 20 años que no parece tener grandes condiciones intelectuales. Buenote y simple. Se caracteriza por hacer unos versos kilométricos cuyo contenido no conozco pero se me figuran malos. Tiene salidas de cierta consistencia en su ingenuidad como ésta, "eso de morirse todos los días está muy visto", haciendo la crítica a otro de los poetas jóvenes del asilo. No he conversado con él para poder juzgar en firme sobre sus conocimientos o dotes poéticos.

Otro día al pedo, Marco Antonio Sandoval: guatemalteco de 18 años, estudiante y poeta. Como poeta está plagado de reminiscencias nerudistas y de meditaciones sobre la muerte, pero tiene una que otra figura buena. Está lleno de figuras románticas en su carácter y se ha constituido en un enérgico admirador de sí mismo. Habla con una seriedad notable de todo lo que concierne, afirmando con mucha seguridad sobre una porción de cosas. Tiene un carácter cáustico pero le falta aplomo para aguantar la réplica. No tiene configuración política, tomándolo todo como una experiencia política.

Ninguna novedad en dos nuevos días. Hice de cocinero y si bien pude acabar me cansó bastante y me quedaron los músculos cansados, lo que demuestra mi falta de estado físico. Núñez Aguilar se va hoy para Argentina, le di la dirección del viejo, puede ser que le hable. Valdez, su nombre no lo recuerdo, es otro de los poetas jóvenes del grupo. Sólo leí una de sus composiciones hechas en verso libre y con marcado contenido de lucha social, pero sin esa chispa que distingue al auténtico poeta. Es un muchacho de 18 años, con carácter pícaro de mocoso que se reconoce dentro de la edad, a pesar de ciertos brotes de seriedad. Es un carácter recto y franco, sin mayores pretensiones políticas pero capaz de llegar a tenerlas con el tiempo.

Otro día al pedo sin ninguna novedad. Marco Antonio Derdon (a) Terremoto. Es un muchacho de escasas dotes intelectuales con cuerpo que denota cierto infantilismo hipofisiario o hipogenital, lo que se ve confirmado por el hecho de que se le subió un testículo en el asilo al mismo tiempo que le salía una hernia inguinal indirecta. No tiene otro atractivo que el de su constitución patológica ya que no se puede hablar de formación política.

Otro día pasado en nulidad absoluta. Como suceso que altera la monotonía de los días, está en el orden internacional el suicidio del presidente Vargas.

He quedado un poco desconcertado ya que no sé cuál será el camino que imprima al Brasil el vicepresidente o los que lo manejen, de todas maneras, sospecho que han de venir días tumultuosos para los brasileros. En el orden local está la fuga de un asilado saltándose el alambre de la cerca. Hugo Blanco (a) la vieja, jovencito y poeta. Mal poeta. No creo siquiera que sea una persona inteligente. El sesgo que parece distinguir a todo él es la bondad. Siempre una sonrisa de chico bueno acompaña al poeta.

Otro más sin novedad. Alfonso Riva Arroyo: es dirigente del gremio de Sanidad y persona interesante por sus escrúpulos intelectuales pues tiene cierta mentalidad marxista y está en abierta pugna con los comunistas. Además tiene un insomnio que se me antoja de origen psíquico. Es carpintero y según él bueno. Le di una carta para el viejo. Con esto acaba la relación de gente de la sala central de la cancillería.

Dos o tres días en los que ha pasado mucho tiempo y algo de importancia como medida general, Perón acepta que se lleve a las familias, lo que cambia el panorama para muchos de los asilados. Un ejemplo: un señor resolvió entregarse a la policía pues no quería separarse de su familia y tras avisar con un día de anticipación salió a entregarse, pero la policía, con ganas de joder, sin querer llevárselo preso ni lo dejaba ir, de modo que estuvo una punta de horas afuera con la mujer y los hijos que habían estado a despedirse de él. Al fin el ministro se cansó y lo hizo entrar a dormir; a las dos de la mañana llegó la noticia de que se concedía la ida con familia y todo. A la noche siguiente pasó algo menos espectacular pero no menos importante. Víctor Manuel Gutiérrez entró por una de las tapias y se le concedió asilo, pero a las dos se les echó a un cuarto en el cuerpo principal para que no entren más. Raúl Salazar: tipógrafo de unos 30 años, mentalidad simple, quizás inferior a la normal, que se dedica a su trabajo y nada más, era no obstante, consecuente con el PGT. Era de Tribuna Popular y dirigente del gremio, se me ocurre que dócil.

En estos dos días han pasado cosas muy lindas; la entrada de Gutiérrez provocó un gran alboroto dentro de la embajada la que aprovechó una frase imprudente de uno de los Pinedas sobre la demagogia de Perón al dar asilo a la familia de los asilados también para cagarse bien en los comunistas y en Pellecer que trató de aclarar las cosas. Después con alarde de fuerza se nos confinó a 13 en el garaje con prohibición de hablar con los demás, al mismo tiempo que aislaban a Pellecer y Gutiérrez en un cuarto solos los dos. Como respondiendo a eso, esa misma noche se escaparon los dos Pineditas.

Fue muy graciosa la cara de furia con que Banabés, amparado en la furia de los elementos oficiales, expresaba también su furia. Seguiré con los de aquella camada al mismo tiempo de los 13. Ya están Lencho Méndez, Luis Arturo Pineda, Roberto Castañeda, Cheché Vega y yo, quedan ocho: Humberto Pineda, hermano mayor del anterior; tiene una parecida constitución psíquica pero el mayor parece mejor y de buen humor, aunque es igualmente levantisco que su hermano. Es evidente que tienen los huevos bien puestos. José Antonio Ochoa: tipógrafo, dirigente sindical de línea bien consecuente, aunque no pertenece al partido, pertenece al grupo de los 13. Su carácter es blando de la misma consistencia de su cuerpo rechoncho, pero tiene inteligencia clara y es bien consecuente en toda su línea política. Es un carácter alegre, expresivo y juguetón, un poco aniñado y a veces tristón. No será capaz de ninguna acción heroica pero es incapaz de una traición.

Como si respondiera a lo que yo decía, Ochoa consiguió trasladarse al otro lado donde ya está muy orondo. Ahora quedan 10 en la jaula.

Ricardo Ramírez es quizás de los más capacitados dirigentes de la juventud. Evidentemente el partido ha reemplazado a su casa, la que parece no haber tenido en la juventud, o mejor dicho en la niñez pues recién tiene 23 años. Va a Buenos Aires donde evidentemente le vendrá bien una experiencia en el partido. Su cultura general es elevada y su manera de encarar los problemas mucho menos dogmática que la de otros compañeros. De la cancillería me falta del cuarto que estaba describiendo a Arana, un viejo tipógrafo de unos cincuenta años, débil y sin base ideológica pero leal al partido. De inteligencia mediana es lo suficientemente capaz como para darse cuenta de que el único camino ideal para la clase obrera es el comunismo.

Han pasado varios días sin mayores novedades, salvo que Cheché armó un lío con una putica que es mucama y nos confinaron más radicalmente aún. De los "trece"; Faustino Fermán Tino, zapatero. Una mentalidad simple pero leal y sincera hasta donde se puede llegar; de carácter alegre y llano y muy buen técnico para hacer zapatos, esas son sus más grandes características. Tomás Yancos, de los viejos compañeros de la cancillería, es un personaje enigmático. Como Rivas Arroyo que resultó luego ser un traidor, según parece, éste era de los que tenían "ciertas diferencias " con el partido, pero consecuentes con la línea general. Esto es falso y Yancos resultó un hijo de puta. Tiene un carácter extraño, con una brusquedad que repele pero que parece muchas veces ser en broma. Tiene un carácter en general antipático.

Han pasado varios días con acontecimientos más o menos importantes que ya olvidé pero entre los que se destacan la fuga de Lencho Méndez y de Roberto Murailles. Roberto era un muchacho al parecer medio botarate, sin ninguna base intelectual y completamente impulsivo. De lo que se puede estar seguro es de su lealtad y creo que únicamente de eso.

Al día siguiente se fueron 118 asilados en los cinco aviones que vinieron, entre ellos Carlos Manuel Pellecer y Víctor Manuel Gutiérrez. La embajada ha quedado vacía y solamente quedo yo del grupo de los 13 de la perrera.

Hablé entonces con Sánchez Toranzo y hoy mismo me rajo a la calle. En el avión vino un amigo de Gualo García, Varisco, que me trajo de casa 150 dólares, dos trajes, 4 kilos de yerba y un montón de "babosadas".

De los que se fueron de los 13 quedaron sin analizar " El fígaro" Vázquez, el peluquero, un hombre sin mayor base intelectual pero muy pretencioso. No parece mala persona pero funciona por impulsos repetidos, no con continuidad revolucionaria, es muy ostentoso en todos sus actos y bastante rabioso. Es el que ponía la nota discordante en el ambiente cordial de los 13.

Humberto Pineda era el jefe reconocido por nosotros y por la embajada de todo el grupo. Es un hombre que ha cedido sus impulsos violentos, como los de sus hijos por una más razonada calma. Ni sus alcances intelectuales son demasiado grandes ni su preparación intelectual tampoco, pero sabe ponerse a la altura de lo que de él se espera, es un buen militante. Eduardo Contreras es un maestro chiquitito de tamaño, bastante chico de edad, muy buena persona, alegre y jodedor, con cierta base teórica y muy buena base práctica. Valiente y leal. A veces parece un poco pedante pero con una pedantería inofensiva que no es antipática.

Ya me fui a la libertad sin ningún inconveniente e inmediatamente visité a mi primer visita, franelando en forma. Me vine a dormir a lo de la viejita Leiva y visité a F. U. quien no me mandó el artículo, de modo que no hay nada concreto contra mí. Hoy comienzo a tramitar la entrega de mi pasaporte y si no hay inconveniente mañana a la mañana me voy para Atitlán y Quezaltenango a conocerlos. Iré con una cámara fotográfica prestada.

Atitlán no es superior a los lagos del sur argentino, ni mucho menos. A pesar de que no estaba el día para dar un juicio definitivo me atrevo a darlo porque la diferencia es muy grande. Después de ver el lago me fui a Chichicortenango donde sí encontré cosas de real interés en la vida de los indios y sobre todo en sus ritos, pero me dio por tomar guaro y comer porquerías y el resultado fue que me conseguí un ataque de asma, además estaba gastando mucho dinero al pedo, de modo que me vine de un salto a Guatemala. Al día siguiente retiré el pasaporte con mi visa de salida concedida y en un día más tuve la visa de México. El domingo, hoy, lo dediqué a despedirme de Guatemala con un paseíto a San Juan Sacatepéquez con profusión de franelas y algún polvito superficial. Mañana me dedicaré a despedirme de la gente que tenga ganas y el martes por la mañana inicio la gran aventura a México.[1]

La gran aventura ha tenido una primera etapa feliz y aquí estoy instalado en México,[2] aunque sin saber absolutamente nada sobre el futuro. Salí con mis duditas encima hasta la frontera; pasar fue una bicoca pero del lado mexicano empezaron los profesionales de la mordida. Me junté de entrada con un buen muchacho guatemalteco, estudian-

[1] *Por su importancia, se reproducen algunas cartas enviadas a su familia, publicadas ya en* Aquí va un soldado..., *Ob. cit. (Ver Anexo.)*

[2] *Llegó a México el 18 de septiembre de 1954.*

[1] *Conocido como El Patojo, por su pequeña estatura. Al triunfo de la Revolución se traslada a Cuba, en donde vivió hasta su incorporación a la lucha de liberación de su país, donde cae en combate. Che en su libro* Pasajes de la guerra revolucionaria, *le dedica un retrato como homenaje póstumo.*

[2] *Ulises Petit de Murat, guionista de cine y antiguo amigo del padre.*

te de ingeniero, se llama Julio Roberto Cáceres Valle[1] y también parece dominado por la obsesión de viajar. Piensa irse luego de un tiempo a Veracruz y tentar de allí el gran salto. El viaje hasta México lo hicimos juntos y aquí estoy solo aunque a lo mejor vuelve. Lo único realmente interesante del viaje fue una excursión a las minas de Mitla, cerca de Oaxaca. Son minas de los antiguos mixtecas sin mayor importancia al parecer; constan de varios patios cuadrangulares rodeados de construcciones también cuadrangulares adornadas por paredes de formas rectilíneas.

Hay una o dos construcciones subterráneas cuyo exacto significado no sé todavía pero que sin duda debía ser destinada al atavío de los personajes. Parece ser que los techos eran sostenidos, en las partes importantes al menos, con columnas redondeadas de forma levemente cónicas y hechas de una especie de concreto. Todas las construcciones son de piedra unida por barro con piedregullo y retocadas con una especie de cemento también. No hay aquí ni la imponencia de Machu-Picchu, ni la belleza y sugestión de Quiriguá, ni siquiera la emotividad de las minas salvadoreñas, pero con todo presentan cosas interesantes y un anticipo de lo que será el conocimiento de todas las maravillas de por aquí. Hoy mismo, o tal vez mañana, veré a U. P., ya que Harold White no está y al parecer se fue a Norteamérica.

Han pasado días de febril ineficacia en que fui a lo de Petit,[2] me sacó a pasear, discutimos sobre política. Tiene una hija agradable pero que está dentro de la típica educación burguesa clericaloide. Petit, evidentemente es un desertor que disimula su huida con sentencias del papa y habla del amor católico que es lo único que puede ser firme, etc. Visitamos las ruinas de Teotihuacán o algo así. Hay pirámides enormes pero sin valor artístico y otras que sí lo tienen. Iré a visitarlas de nuevo con tiempo y detallaré entonces lo que vea pues ahora sólo le saqué una foto a Marta Petit con la nueva máquina que compré una Zois 1 Kon 1:35 de 35 exposiciones.

Han pasado varios días en cero. Después de la discusión muy amistosa con Petit solamente le hablé para dejarle el teléfono y no me habló más. Visité a Helenita y algo raro hay entre los dos, aunque no sé bien. También visité el museo de arte mexicano aunque no pude hacerlo con todo, como siempre, me resultaron interesantes las muestras de cultura arcaica entre las que hay verdaderas obras de arte. Me gustaron dos cabezas de arte maya y azteca y una vasija de obsidiana que figura un mono estilizado, hay, además, una monumental cabeza de rasgos negroides muy interesante. Por supuesto, lo que sigue en interés son los cuadros de la tetralogía: Rivera, Tamayo, Siqueiros y Orozco. Me entusiasmó sobre todo Siqueiros pero me parecieron todos muy buenos, aunque los frescos están en muy mala posición para verlos.

Entra la vida de México en un tren de burocratización bárbaro. Ya Petit se hace el burro olímpicamente. Las cosas más nuevas son que Hilda está en México en Tapachula y no se sabe en qué condiciones y que estuve con un Dr. Icharti, joven y peruano que me impresionó bien pero no sé qué podrá hacer por mí. Tengo un puesto de fotógrafo en los parques que veré qué resulta mientras prometen cosas mil.

Han pasado varios días y en general puedo decir que, salvo la amargura de no poder estudiar algo más de medicina por día, todas han sido logradas. El lunes veré un puesto médico, el miércoles uno de los otros, mientras sigo con mis fotografías y conozco algo de gente.

Francisco Petrone no es un comunista ni mucho menos pero es un hombre sincero y convencido de que su posición es la correcta. No es lo que se llama un tipo culto, pero en escena se ve que inmediatamente toma el tipo que conviene. Vi sus direcciones y la encontré bastante bien. El gran dios Brown, en cambio, fue asesinado por los universitarios. Con Petit ya hemos tenido agarradas que anuncian un total rompimiento por lo menos, que no me dará más pelota. Con Hilda parece que llegamos a un *statu quo*, veremos.

Sigo trabajando en forma discreta con las fotografías pero hay que patear en forma. En los hospitales me voy asentando y creo que haré algo aunque no en el instituto de la nutrición. Me mudé a una pieza como la gente, en el centro de la ciudad, por la que pago 100 pesos al mes. Tiene baño para nosotros dos (el Patojo) y derecho a cocina. La dueña es una gorda fea que tiene una cara de gustarle la piola que voltea.

La foto no va mal y la medicina promete no ir del todo mal. Los garbanzos se consiguen... Por ahora mi vida intelectual es nula, salvo algo que leo de noche y unas gotitas de estudio diario. A los González Casanova no los pude ver todavía y no sé cuándo será el asunto, a Hilda la veo mañana.

Pasó un poco de agua bajo los puentes. La cosa en general se presenta así: de subsistencia, tengo que contar en firme nada más que la fotografía, la que no da lo suficiente. En esta semana tenía unas sesenta fotos que indicaban un número parecido de pesos lo que no era despreciable y 30 me fallan pues se veló un rollo. En cuestiones médicas estoy trabajando tres días en cada uno de los hospitales: Infantil y General. En el General sobre las degradaciones alimenticias de Pisani y en el Infantil me dijeron que presentara un plan de trabajo del que tengo un esbozo. A Icharti, el médico aprista, lo vi una vez y quedé en verlo nuevamente mañana. De México en general casi no puedo hablar pues no he conocido nada nuevo.[1]

[1] *Ver en Anexo carta enviada a la familia en noviembre de 1954, publicada en* Aquí va un soldado..., *Ob. cit.*

A Petit, Petrone y Piaza no los he visto hace buen tiempo.

Sigo sin ver a la gente de arriba y ya que organicé mi vida, sin mayores apuros por visitarlos. El hospital me absorbe la mañana aunque no haga nada y la tarde sola no me alcanza para repartir las fotos, de modo que estoy en déficit.

Aquí ya se acabó el gas y la vieja no tiene muchas ganas de que vengan de nuevo, de modo que se acabó parte de la panza. Ahora somos también fotógrafos de la Agencia Latina,[2] pero la primera prueba me resultó muy mala, pues me tuvieron toda la tarde de plantón en el aeropuerto esperando a unos aviadores argentinos y perdí la oportunidad de sacar fotos en el parque, por lo que el día me quedó en cero.

[2] *Agencia Latina de Noticias, financiada directamente por el gobierno argentino.*

No he visto gente nueva, salvo unos muchachos del Partido Democrático Revolucionario Hondureño, que me parecieron muy a la derecha, Helenita los defiende pero no hay razón, van a la transformación de lo poco proletario que hay en ellos en algo profundamente pequeño burgués.

No hay nada nuevo que contar, ya que todo sigue su camino con tranquilidad. Piaza dice que "tal vez" me consiga un puesto de vendedor de libros en un estand de la OEA en la feria del libro, ya que las fotos no me dan para vivir. De lo demás, nada nuevo, he recibido la noticia de que los guatemaltecos zurditos están todos presos, de que se casa Celia y de que se casa Hercilia con un viejito platudo. No he conocido a nadie interesante en estos días y parece que no lo conoceré en algún tiempo si sigo esta vida. La bicicleta la tendré dentro de unos días, al parecer.

Han pasado algunas cosas de cierta importancia en el curso de estos días. Conocí en la calle al jefe de Agencia

Latina[1] que es médico, simpatizó conmigo y me nombró corresponsal provisorio. Saqué a los bichos de la Panamericana y algo de plata me dieron pero no mucho, creo que podré vivir con eso. La fotografía camina despacio. Me estoy endeudando, pero también me deben. En el hospital voy trabajando sin que pueda ver a donde llego.

Los días se han sucedido con la rutinaria cadena de esperanzas y desengaños que caracterizan mi vida proletaria. El puesto en la feria del libro fue un sueño ya finalizado, pero tengo uno nuevo más lindo aunque igualmente inseguro: el jefe de la Agencia Latina me ofreció un puesto en el que ganaría unos 500 mensuales por trabajar 3 veces a la semana en la confección de una síntesis periodística de los acontecimientos de México.[2] Por ahora sigo en la fotografía pero cada vez con menos ganas. Flota en el aire una decisión de hacerlas por nuestra cuenta pero nos falta plata.

Los días se van sucediendo con un ritmo rapidísimo. Estoy trabajando mucho en alergia y ya empiezan los roces con los médicos.

En general creo que iré adelante pero que a los triunfos corresponderán los choques más fuertes. El lunes haré la prueba en la Agencia Latina para ver si entro allí a trabajar. La fotografía la he ido abandonando pues me canso de andar de pedo por todo México. Ya estoy trabajando con mi nuevo sueldo de $700 y pocas horas al día, sigo, sin embargo, haciendo algo de fotos y le saqué a la OEA $150 por unos mamarrachos. La crítica a la obra de Petit parece bastante dura pero yo pienso ir a la función dentro de uno o dos días a ver qué tal.

Mi trabajo en el hospital marcha bien a pesar de que continuamente me doy cuenta de que fuera de la alergia no sé un pito de medicina. Tengo dos enfermos en tratamiento en cada hospital; en el de niños estoy con las manos atadas y no puedo hacer nada, pero en el General me doy la gran hartada de libertad. Estoy por hacer un experimento de electroforesis[3] pero no sé qué resultado dará. Fui el domingo al aniversario de la virgen de Guadalupe que estuvo no tan concurrido como de costumbre, según dicen; es como siempre, una mezcla de fiesta pagana con algo de religión. Cantidad de indios bailan disfrazados de más indios todavía y al son de músicas de ritmo sencillo, parecidos a los de Bolivia y Perú.

[1] *Se refiere al señor Alfonso Pérez Vizcaíno.*

[2] *Se trata de los Juegos Panamericanos realizados en México del 12 al 16 de marzo de 1955. Es nombrado por la Agencia Latina reportero acreditado desde el 31 de enero de 1955 hasta el 31 de diciembre del mismo año.*

[3] *Migración de las proteínas (moléculas cargadas eléctricamente) en presencia de un campo eléctrico.*

Se acercan los últimos días del año y parece que se anuncia cierto cambio económico en el futuro. Científicamente sigo igual, trabajando en los alimentos digeridos y preparándome a trabajar en la electroforesis de sangre y en los propectores de Urbach; además en el hospital infantil quieren que haga un trabajo de experimentación con sueldo y todo. En la Agencia Latina sigo trabajando aunque sin cobrar todavía. En estudio estoy estancado, pues leo muy poco de medicina y en producción literaria más, pues casi nunca escribo. En relaciones públicas sigo más o menos igual, sin haber hecho ninguna amistad, intelectual o sexual, que realmente valga la pena. La nochebuena la pasaré cómodamente metido en la bolsa de dormir cuidando un estand de juguetes como sereno. Ya he dejado la fotografía y hay momentos en que me arrepiento haberlo hecho pues no tengo un cobre y eso siempre me dejaba algo, sin embargo ahora tengo tiempo para dedicarlo a otras cosas y, pasado el año nuevo me disciplinaré un poco. En el aspecto educacional (*sic*) me siento un abuelito, ya que el Patojo, respondiendo a una admonición mía sobre su vida, resolvió volverse a Guatemala a ayudar a su madre.

En el plano político es digno de destacar la vuelta de Don Edelberto Torres y de su hijo, uno liberado y expulsado, otro prófugo.

Nada nuevo puede ponerse aquí y sí lo viejo de un año más que se acaba. Como siempre, Hilda se enojó porque no quise acompañarla a una fiesta, yo pasé el año en el local de la OEA de sereno. No hay cosas nuevas que contar, no me pagan en la Agencia Latina y tal vez no me paguen en un tiempo porque la guita viene o, mejor, no viene de Buenos Aires.

Hoy me siento un poco como el abuelito bueno que da consejos sanos: el Patojo se fue a Guatemala con un hermano "cabrón" que tiene. La cosa proviene de una conversación en la que le dije que él estaba huyendo de algo y no luchando, como pretendía en una carta a la madre que me leyera; al día siguiente resolvió irse y poco después el hermano lo acompañaba. Además de la guita que le había prestado antes, le di $150 más que me prestó Piaza. Mi situación es rara, porque cuento con el sueldo de la Agencia Latina pero me mantienen con promesa, sin concretar nada. En el terreno científico tengo grandes esperanzas aunque la realidad todavía no me permite tenerlas. Inicié los estudios para hacer electroforesis con papel de filtros y espero empezar a trabajar sobre eso, dentro de 1-2 semanas. Escribo poco a mi casa, de modo que no sé mucho de allá.

Ya tengo el pago del primer mes y ya me lo gasté también, salvo las cosas que no pagué pero que debo pagar. No me preocupa mucho el hecho por lo siguiente: con el Dr. Cortés estoy atendiendo una enferma que me paga $20 por consulta, que se hace cada 4 días, y con eso tendré para comer hasta que llegue la próxima remesa a la Agencia Latina. Con ésta tengo buenas relaciones, a pesar de que me tiene medio calado el Dr. Pérez; de lo que trato de convencerlo, entre joda y joda, es que me mande a Costa Rica a la chingadera de José Figueres. No he tenido noticias del "Patojo" y tampoco de casa, sólo un estudiante peruano me escribe y me hace acordar mi vaticinio sobre la caída de Guatemala. Lo científico está parado un poco por la situación tan inestable que tengo, pues tengo que irme de la casa y no sé bien a donde.

El problema de la vivienda sigue sin resolverse y estoy prácticamente en el aire en todo sentido. La máquina casera de electroforesis marcha lentamente, los demás trabajos están prácticamente estancados. Con el Dr. Cortés atiendo a una enferma que creo que mejorará mucho y cobro $20 en cada consulta. Espero que esta que viene sea una semana rica en acontecimientos.

[...]

Mi enferma apareció muy desmejorada, le hice nuevas pruebas y salió muy sensibilizada a varias cosas que comía y que le quité. Yo sigo sin plata pese a todo, pues no hay forma de nivelar el presupuesto. La Agencia Latina no paga con la debida prontitud y eso me jode más. De los proyectos grandes no hay nada nuevo. Mañana acabaré el artículo sobre Guatemala que me pidieron y me dedicaré en toda la semana a sacar algunas cartas, pues estoy muy atrasado en mi correspondencia.

Todo está en el aire y son días de incertidumbre. Recibí el sueldo de enero y ya me lo gasté (estamos a fines de febrero) ahora se vienen los Panamericanos encima y tengo que trabajar como una bestia dejando de lado el hospital. Mi enferma está estacionada, exactamente donde la dejé. Con Hilda creo que rompí definitivamente luego de una escena de melodrama. Me gusta una chica que es química; no es muy inteligente y es bastante ignorante, pero tiene una frescura agradabilísima y unos ojos bárbaros. Presentaré un trabajo al Congreso de Alergia en abril sobre estudios con test cutáneos con alimentos digeridos.

Ha pasado más de un mes desde los últimos apuntes del diario. Han pasado muchas cosas y no tantas, según como se mire el asunto. Los Panamericanos me trajeron un trabajo de la chingada y cuando parecía que no había compensación surgió la promesa de que sí habría y casi simultáneamente la inexplicable noticia de que la Agencia Latina se disolvía y la consecuente angustia por el dinero. Ahora parece ser que me pagarán los dos meses que me deben, más tres meses de indemnización por despido, más $2 000 por las fotos. Vale decir alrededor de $5 000, cantidad que me viene muy bien pues con ella puedo pagar algunas deudas, viajar por México e irme a la mierda.

El trabajo me costó algunos disgustos e hice simultáneamente dos buenas amistades: Fernando Margolles y Severino Rossell, el Guajiro. Vivo en otra casa y ya tengo problemas para pagar el alquiler, como de costumbre.

[...] Científicamente estoy comprometido a acabar un trabajo para presentar al congreso de alergia y creo que lo haré y me han invitado a irme a Nuevo Laredo, en la frontera con los gringos pero sería para trabajar dos años y no estoy dispuesto a tanto. Mis proyectos son más simples: hasta marzo trabajo en alergia y presentar el trabajo; mayo, junio y julio viajar por México de norte a sur y de este a oeste; julio-agosto irme a Veracruz y quedarme hasta que consiga un barco para Cuba o Europa; si eso no se puede, en diciembre estoy en Caracas. Veremos cómo se da.

Ha pasado mucha agua bajo mis puentes ahora [...] aparezco como interno en el Hospital. Las cosas se desarrollaron así: fui a León, Guanajuato, presenté mi trabajo: "Investigaciones cutáneas con antígenos alimentarios semidigeridos".[1] El trabajo tuvo una discreta acogida y fue comentado por Salazar Mallén, el capo de la alergia mexicana. Ahora será publicado en la revista *Alergia*, Salazar Mallén me prometió una ayuda monetaria para hacer un trabajo de investigación y el internado en el Hospital General pero todavía está en veremos esto.

De la guita de la Agencia Latina no hay noticias concretas. Otra noticia digna de apuntarse es que me compadroné como votante mexicano gracias a la total falta de control que existe: uno se presenta da un nombre y una dirección y se acabó. Así saldrán las elecciones.

[1] *Trabajo presentado en el IX Congreso Nacional de Alergistas, celebrado del 25 al 30 de abril de 1955 en la Escuela de Medicina de León, Universidad de Guanajuato, y publicado en la Revista* Iberoamericana de Alergología, *México, D.F., mayo 1955, p.157.*

En Guanajuato vi los famosos entremeses cervantinos representados por artistas aficionados de la localidad en un escenario natural que tiene una iglesia como fondo. A la mayoría de los actores les falta clase, pero es tan natural el escenario que todo pasa inadvertido.

Tras de muchas peripecias estoy instalado en el Hospital General y trabajando bastante, aunque un poco desordenadamente, la comida me tiene un poco mal, pues si la como me da asma y si no, tengo hambre. Salazar Mallén me paga $150 [...]. La Agencia Latina dice que va a pagar y eso significará cerca de $5 000, veremos si es cierto. Me dedico ahora a conocer las inmediaciones de México, acompañado de Hilda. Ya fuimos a ver unos magníficos frescos de Rivera en una escuela agrícola y visitamos Puebla.

Han pasado cosas buenas y malas. Sigo sin saber qué será de mi vida futura. La Agencia Latina pagó, pero no pagó todo y sólo me restarán $2 000 luego de pagar algunas cuentas y hacer algunos regalos. Me habían invitado al Festival de la juventud, pero yo debía pagarme el pasaje y contando con el dinero había visto la posibilidad de irme a España el día 8 de julio y lo había anunciado a los 4 vientos. Ahora todo queda en la nada y sigo con el proyecto de visitar México a partir del 1ro. de septiembre. Como acontecimiento deportivo, debo señalar el ascenso al Popocatépelt, lado inferior por un grupo de esforzados andinistas improvisados, entre los que me encontraba. Es maravilloso y lo quiero repetir con alguna frecuencia. Pascual Lozano, el venezolano, se quedó un poco antes de llegar, a pesar de que lo remolcamos en la última etapa. Otro acontecimiento es el hecho de la revolución en Argentina que me llena de inquietud debido a que mi hermano está en la Infantería de Marina. El hecho jocoso lo constituye la invitación que hice a Hilda y una amiga peruana a ver un partido de fútbol. La cosa empezó suave con bolas de nafta encendidas y acabó con baldes de mierda que ligamos los tres.

Un acontecimiento político es haber conocido a Fidel Castro, el revolucionario cubano, muchacho joven, inteligente, muy seguro de sí mismo y de extraordinaria audacia; creo que simpatizamos mutuamente.[1]

Acontecimiento deportivo es nuestra fallida escalada del "Popo", donde quedamos a pocos metros de la cima debido a que Margolles no quiso seguir pues tenía los pies helados y se asustó.

[1] *El encuentro entre ambos se produce a fines de julio de 1955 en la ciudad de México.*

Acontecimiento turístico es la ida de Margolles a E.U.

Acontecimiento científico es la aparición de mi primer trabajo como autor sólo en medicina, en la revista *Alergia*: "Investigaciones cutáneas con antígenos alimentarios semidigeridos"; pasable.

En fisiología estoy hecho un operador de gatos.

Han pasado meses. Estoy casado con Hilda, nos cambiamos de casa y todo parece orientado hacia unos meses de cómoda contemplación del porvenir.[1]

Políticamente, como nota importante está la caída de Perón, sin pena ni gloria, y la toma del poder por una camarilla militar que está en relaciones con el clero y los partidos centristas. En estudio estoy un poco más compacto, sólo leo alergia, estudio algo de inglés y un poco de álgebra. En trabajo estoy realizando sólo tres y tengo uno en ciernes, son: Histaminas en Sangre, Histamina en Tejido Pulmonar de Tuberculosos y Progesterona en relación con la Histaminasa; pienso hacer algo de electroforesis de sueros. En algún otro punto: me compré una máquina fotográfica en lugar de la que me robaron y estoy aprendiendo a escribir a máquina al tacto. Todavía no sé si entraré a trabajar en las Naciones Unidas o no, la idea me repugna pero la paga me atrae.

No hay mucho que agregar, salvo que por fin, llegué a la cima del Popo. La trepada fue sencilla, casi no hubo problemas y llegamos a 6:30 horas hasta el borde inferior (no subimos más) pero no pude sacar fotos adecuadas debido a la niebla que cubría todo. Dentro de algún tiempo pienso ir a Yucatán a conocer toda la zona maya. No hay nuevas políticas, salvo las encendidas cartas de mi familia donde me ponen oro y azul por el apoyo a Perón frente a los liberadores.[2]

Fui a una reunión donde se cambiaron impresiones sobre la caída de Perón, el informante era un señor Orfila, del que después me enteré que gran parte de su furia contra Perón se debía a líos que éste tuvo con el Fondo de Cultura Económica, del que aquel era director.[3] La cosa transcurrió bien hasta los postres en que se tiraron contra los compañeros y entonces salté yo a cantar algunas frescas al tal señor, pero estaba medio enojado y no pude coordinar bien; al final, propuse que se subordinara el envío de una nota de felicitación a que el gobierno realizase actos concretos como la democracia sindical y la conducta económica, pero Orfila aseguró que no se podían parar en "cosas hasta cierto pun-

[1] *Se casaron en Tepoztlán el 18 de agosto de 1955.*

[2] *Ver carta que se anexa, enviada a su madre en septiembre de 1955, tomada de* Aquí va un soldado..., *Ob. cit., pp. 109-111.*

[3] *Con posterioridad al triunfo revolucionario, Orfila mantuvo estrechas relaciones con el Che, y mostró siempre su apoyo solidario hacia Cuba.*

to secundarias, como el control de cambios". Los socialistas van rumbo a la mierda.

Ya hice mi cacareada ronda circunvalatoria por el sureste mexicano, alcanzando a cubrir superficialmente el área maya. Fuimos a Veracruz en tren, un viaje sin interés ninguno. Veracruz es un pequeño puerto sin mayor vitalidad y con todas las características de la pequeña localidad de ascendencia española. Las playas son chicas, sucias y planas, el agua tibia.

Nos encontramos allí con un barco argentino, el "Granadero", donde conseguí que me regalaran unos quilitos de yerba. Boca del Río es una pequeña localidad de pescadores situada unos 10 kilómetros al sur de Veracruz. Allí fui a ver un día de pesca en la barca "La Tonina" de Rosendo Rosado, es muy interesante la vida y los problemas de la población pescadora.

Después de cinco días en Veracruz fuimos en dirección sur en ómnibus. Pasamos primero la noche en el lago Catemaco pero no pudimos visitarlo porque era un día lluvioso; seguimos entonces para llegar a pasar la noche en Coatzacoalcos, en la ribera del río de ese nombre, puerto de mar de discreta importancia. Llegué con asma. Al día siguiente cruzamos el río. La otra margen se llama Allende y de allí nos fuimos en tren a Palenque, llegamos de noche a la estación y nos fuimos en jeep al hotel.

Las ruinas de Palenque son magníficas: sobre la falda de un cerro está el núcleo de la ciudad, lo que fue un centro; de allí se extiende por un espacio de 4 y 6 kilómetros en medio de la selva; inexplorada todavía, pese a que se conoce claramente la situación de construcción tapada por la maraña.

La desidia de las autoridades es completa, para limpiar totalmente la tumba principal, una de las joyas arqueológicas de mayor valor en América, se tardó 4 años, cuando con implementos y personal adecuados se hubiera podido hacer en 3 meses. Los edificios más importantes son: el palacio, que tiene un conjunto de galerías y patios con grabados en piedra y aristas de estuco de mucha calidad artística. El templo de las inscripciones, también llamado de la tumba, que tiene como característica principal una tumba, única en su tipo en América, a la que se entra por la parte superior de la pirámide, bajando por un largo túnel de techo trapezoidal que conduce a una cámara amplia en la que se encontró una lápida monolítica de 3,80 de largo por 2,20 de ancho y 27 cm de grueso adornada con jeroglíficos representando el sol, la luna, y Venus.

Debajo de la lápida hay un catafalco íntegramente tallado en un bloque de piedra que contenía el cadáver de un personaje principal.

Había joyas de diversos tamaños, todo en jade. En Palenque es digno de hacer notar la belleza y fragancia de sus bajorrelieves, estucados, hechos con un arte que se pierde luego, a medida que se avanza en los dominios del tercer imperio donde ya se nota la influencia tolteca, más monumental pero mucho menos escultórica.

Los motivos escultóricos palencanos son más humanos que los de los aztecas o toltecas, y en general se ven figuras humanas de cuerpo entero en hechos históricos o rituales mezclados con la representación de los dioses más importantes de su olimpo, que son el del sol, la luna, Venus, el agua, etc.

Palenque, según la clasificación hecha por el arqueólogo norteamericano Morley, es un centro de segunda categoría dentro del área maya (este arqueólogo sólo concede primera categoría a Copán, Tikal, Uxmal y Chichén-Itzá). La investigación arqueológica demuestra que Palenque erigió monumentos fechados durante el primer cuarto del Baktún 9 (435-534) más o menos contemporáneamente, al de Piedras Negras, el otro centro artístico del imperio. Ambas florecieron durante el primer imperio. En total son 19 ciudades de segunda categoría según la clasificación de Morley, aunque la última investigación está dando más importancia a Palenque; sea o no esta ciudad un centro de primera categoría es innegable para casi todos que es la ciudad maya donde el estuco fue trabajado con más técnica y más arte.

Dejamos Palenque en la noche y nos fuimos en el ferrocarril del sudeste hasta el pequeño puerto de Campeche, donde pasamos un día. No tiene mucho que ver salvo las ruinas de los fuertes que se construyeron para defenderse de los piratas. En dos horas de autobús estuvimos en Mérida, que es una ciudad bastante grande para su tipo pero de una vida muy provinciana. Mérida no es puerto de mar y todas las características de la ciudad son de un poblado que estuviera a 500 kilómetros de él y no a 30. En la noche refresca bastante considerando el gran calor que hace. Su museo está muy mal presentado y aprovechado, pero tiene cosas interesantes.

Las atracciones principales de Mérida son sus vecinas ciudades mayas en ruinas, de las que visitamos dos de los importantes centros como son Uxmal y Chichén-Itzá.[1]

Chichén-Itzá fue descubierta y poblada por los mayas en expansión alrededor del siglo 4 de esta era, según tradición del Chilam-Balam de Chumayel, aunque la fecha más antigua leída con seguridad es 878. Para esta fecha se estaba completando el abandono de las ciudades del viejo imperio y se iniciaba la trayectoria de Chichén-Itzá dentro de las marcas del nuevo imperio. Los Itzcen se habían retirado de la ciudad en el 692, para establecerse en la zona de Campeche. Posteriormente se establece el renacimiento maya en los dos siglos que van de 997 a 1194 aproximadamente, es la época de la Liga de Mayapán, época que deja la seña de los monumentos actuales con su Chac-Mool y serpientes emplumadas, aunque la base sobre la que están edificados los monumentos actuales pertenecen al período maya. Este resurgimiento maya parece ser debido a la invasión aparentemente pacífica del civilizador Quetzalcoalt de la meseta central de México que trajo consigo el Águila y la Serpiente, signo básico de la región nombrada. Chichén-Itzá inicia su decadencia al perder la guerra civil con Mayapán, junto con Uxmal componente del trío gobernante de la confederación maya. Los de Mayapán llamaron en su auxilio a guerreros mercenarios mexicanos y destruyeron la fuerza de sus oponentes, llevándolos a vivir con ellos hasta que en 1441 parece acabar todo tipo de gobierno centralizado en el norte de Yucatán al romperse la hegemonía de la casa Cocomina de Mayapán por una guerra civil.

Empecemos la descripción de sus templos y construcciones: lo primero es el Cenote de los Sacrificios, situado al norte de la ciudad y actualmente lleno de un agua verdosa. Tiene en su costado sur un pequeño adoratorio de donde probablemente se tirarían a las víctimas juntas con los objetos de ceremonial. La cantidad de joyas que guarda entre sus aguas todavía debe ser fabulosa a pesar de las cantidades extraídas de él. Mide 40-60 m de diámetro, tiene 10 m de altura y 20 de hondo. Hay otro cenote, el llamado Xtoloc, situado en el sur y de donde extraían el agua para beber; a diferencia del Cenote Sagrado, a éste se desciende por una rampa de declive suave que lleva hasta el borde mismo del agua. El Castillo, la gran pirámide de la ciudad

[1] Las fotos que se publican sobre las ruinas de Uxmal y Chichén-Itzá fueron tomadas por Ernesto Guevara de la Serna en su recorrido y tienen carácter inédito.

está más de 500 m al sur, con un puente principal mirando al cenote; está unido a éste por una calzada de 6 m de ancho y a 5 m de elevación sobre el nivel del suelo. Posiblemente el Castillo sea el templo más antiguo de los que están en pie; está compuesto por 91 escalones de cada lado que da un total de 364, según algunos figurando los días del año que se completarían con uno más que es un escalón situado arriba. Corona la construcción un templo de no muy fina terminación con pocos grabados pero una tumba donde se baja por una rampa de piedra tapada con una losa, allí hay esculturas y se encuentran joyas de gran valor arqueológico. En la base hay una puerta que conduce por una escalera subterránea a la cámara, donde se encontró lo que Morley califica de mayor joya arqueológica de América, un jaguar rojo de tamaño natural e incrustado con 43 discos de jade verde manzana imitando las manchas del jaguar, a mí no me parece tanto. Unos 100 metros al este está el Templo de los Guerreros, el más majestuoso y evocador de los edificios de Chichén-Itzá, coronado por una serie de columnatas con la figura de la serpiente emplumada y Chac-Mool en primer lugar; este es una figura reclinada, de gran dignidad que tiene los pies junto a las nalgas y sostiene un plato en el que debían poner las ofrendas.

Al lado del Templo de los Guerreros está la serie de columnas que ha hecho bautizar el lugar como de Las Mil Columnas y luego una serie de edificios muy destruidos entre los que se hallaban 2 ó 3 juegos de pelotas y un baño de vapor. Unos 200 metros al oeste del Castillo está el Juego de Pelota Mayor, de grandes dimensiones 146 x 36 metros el campo. Todavía se conservan los dos aros de piedra empotrados en la pared por donde era necesario pasar la pelota de caucho macizo que no podía ser disparada con la mano sino con los codos o rodillas y es tradición que era tan difícil embocar que quien lo hiciera tenía derecho a quitar todas las joyas a los presentes. En el costado este del Juego de Pelota está el Templo de los Jaguares que tiene pintado unos frescos ya muy deteriorados. Frente a la cara norte del Castillo hay una serie de pequeñas plataformas denominadas Las Piñas, Casa de las Águilas, Tzompantli (lugar de las calaveras donde se conservaban las cabezas de las víctimas sacrificadas) sin mayor importancia arquitectónica. Siguiendo al sur, cargando la actual carretera a Mérida se encuentra lo que Morley denomina "Tumba del gran Sacerdote" y los antropólogos mexicanos "El Osario", donde había gran cantidad de ofrendas y uno de los pocos lugares donde se encontraron perlas (en la nueva tumba de Palenque hay una que parece una lágrima). Actualmente sólo hay dos grandes cabezas de serpiente emplumadas y unas columnas cuadrangulares. Después hay una serie de templos menores, como el del Venado y el Chac-Mool antes llamado Casa Roja y por esta zona se llega al Caracol u Observatorio, uno de los edificios principales por su tamaño y significación. El Caracol es el observatorio donde los mayas hacían sus investigaciones astronómicas; está constituido por dos vastas plataformas que sostienen la construcción importante: una torre de 12 m de altura, parcialmente destruida ahora a cuya cúspide se sube por una estrecha escalera de caracol y que tiene apertura que deja pasar los rayos solares y lunares y los equinoccios de primavera y otoño. Al extremo sur de Chichén-Itzá se encuentra Las Monjas, que es un edificio bastante derruido con bonita decoración en forma de guarda y restos de fresco. Al este se encuentra un edificio sin mayores pretensiones, Akab'Dzib, que también conserva pequeños restos de frescos.

Uxmal es una ciudad mucho más moderna que Chichén-Itzá, fundada en el siglo X por un jefe de la familia Xiu,* Ah Zuitok Tutl Xiu, de origen mexicano, en las guerras entre Chichén y Mayapán, Uxmal se mantuvo neutral y luego contribuyó a derrocar al jefe Mayapán en 1441 pero ya abandonaron Uxmal. Esta es una ciudad verdaderamente bonita, mucho más tierna que Chichén aunque no llega a la categoría artística de Palenque. No ha sido tan estudiada y reconstruida como Chichén, lo que es una lástima porque tiene edificios de gran belleza, tal como el Palacio del Gobernador, que ha sido catalogado como el más bonito del área maya, aunque personalmente me gusta más el Cuadrángulo de las Monjas. El edificio del Gobernador tiene 95 metros de largo, 12 de ancho y 8 de alto y está trabajado con notable esmero. En Uxmal se ve poco la serpiente emplumada y otros motivos aztecas pero todo el mosaico de sus frisos tiene, a mi juicio, gran parecido con los trabajos zapotecas o miltecas de la zona de Mitla-Oaxaca. Al norte y en una esquina de la Casa del Gobernador está el llamado Templo de las Tortugas, pequeña joya arqueológica. El Cuadrángulo de las Monjas está formado

* *En el libro* La civilización Maya *de Morley aparece como Hun Uitzil Chac Tutul Xiú.* [Nota de Ernesto Guevara.]

por 4 alas que encierran un patio de 80 x 65 m; se entra por una amplia puerta de bóveda trapezoidal en el costado sur y enfrente se encuentra con el Templo de Venus (así llamado modernamente) de gran belleza arquitectónica y las alas este-oeste, también primorosamente trabajadas. Junto a esta construcción se levanta el llamado Templo del Adivino, que fuera probablemente el más importante edificio de ceremonial de la ciudad. Estos son los edificios principales y los más conservados pero hay buena cantidad de otros como El Grupo Norte y Noroeste, La Terraza de los Monumentos, el Juego de Pelota, El Cementerio, El Grupo Oeste, El Palomar, La Gran Pirámide, Grupo Sur, La Pirámide de la Vieja, que todavía no están bien limpias y restauradas.

Al día siguiente (ese mismo día por la noche, mejor dicho) nos embarcamos rumbo a Veracruz en la "Ana Graciela"; una pequeña motonave de 150 toneladas en la que anduvimos un día bien y al otro se desató un norte regular que nos hizo bailar de lo lindo. Descansamos un día en Veracruz y nos largamos a México por el camino de Córdova donde nos quedamos una hora para conocerla. No vale gran cosa, pero es muy agradable, situada a más de 800 m sobre el nivel del mar, tiene un aire fresquito dentro de su ambiente tropical; hay sembradillos de café en abundancia. Cerca de allí está Orizaba que ya es mucho más andina y, por ende, más tétrica, más fría. A la salida de esta última, como una dependencia está Río Blanco, donde se produjo una histórica masacre de obreros que reclamaban por la explotación de una compañía yanqui, no recuerdo el año.

Dos acontecimientos importantes solamente; uno de ellos demuestra que me estoy haciendo viejo: una chica a la que ayudé a redactar una tesis me puso entre los directores (aquí existe la costumbre de dedicar la tesis a medio mundo) y yo me sentí bastante contento. El otro es muy lindo, fui al Iztacihualt, el tercer volcán de México, el camino es muy largo y era lo que se llama una novatada en la que iban algunos a caballo. Al principio caminé a la par de los mejores pero en un momento dado me paré 5 minutos a curarme una ampolla y cuando volví a caminar me tiré a todo trapo para alcanzar al grueso de la columna; la alcancé pero ya sentido y al final me empecé a sentir cansado. Tuve entonces la suerte de encontrar una chica que no daba más y con el pretexto de ayudarla (iba a caballo) me fui colgado del estribo. Llegamos por fin a las carpas donde había que pasar la noche y mi noche estuvo llena de frío, durmiendo muy mal. Cuando llegamos estaba la tierra seca, al levantarnos al día siguiente había 30 ó 40 cm de nieve y seguía nevando. Se resolvió subir de todas maneras pero no se pudo llegar ni al cuello, de modo que a las 11 de la mañana iniciábamos el retorno.

Todo el camino que había sido polvoriento y pedregoso estaba ahora cubierto de nieve; yo que padezco de mala circulación en las patas llevaba 5 pares de medias, lo que casi no me dejaba caminar, pero un arriero que llevaba las mulas de carga pasó con sus patas al aire tan campante, me acomplejó. Al llegar a la zona boscosa fue cuando el espectáculo estuvo más bonito pues la nieve en los pinos es algo formidable, además estaba cayendo nieve todo el tiempo y eso aumentaba la belleza del cuadro. Llegué molido a la casa.

Otra vez al Iztacihualt, después de unos y otros fracasos. Esta vez la cosa fue así: llegamos 9 a la poya al amanecer y empezamos a subir bordeando la Gubia rumbo al refugio de Ago, loco para enderezar las rodillas. Cuando atacamos la nieve, dos se volvieron; yo quedé en el último grupo y el que iba conmigo, al atacar el glacial y ver que era puro hielo se volvió, entonces quedé solo atrás y me caí, quedando agarrado de una saliente en el hielo. La caída me hizo más prudente y caminaba muy despacio. El guía trataba de darme ánimo y mostrarme cómo se hacía para subir cuando se vino abajo. Pasó al lado mío como una bala tratando desesperadamente de clavar el piolet en el hielo y al fin se fue a detener, después de rodar unos ochenta metros, cerca de un precipicio de donde daba el salto grande a la mierda. Al darse el porrazo el guía, bajamos todos con mucho cuidado, dándose el caso de que tardamos más en bajar que en subir. El guía se sentía agotado y erró después el camino de bajada de modo que llegamos a las 6 de la tarde a la poya.

Ha pasado mucho tiempo y muchos acontecimientos nuevos se han declarado. Solamente expondré los más importantes: desde el 15 de febrero de 1956 soy padre: Hilda Beatriz Guevara es la primogénita. Pertenezco al grupo de Roca del CE de México. Fracasaron cinco puestos que se me ofrecían y me metí de camarógrafo con una pequeña compañía, mis progresos en el arte cinematográfico son rápidos. Mis proyectos para el futuro son nebulosos pero espero terminar un par de trabajos de investigación. Este año puede ser importante para mi futuro. Ya me fui de los hospitales. Escribiré con más detalles.

Testimonio gráfico

Con Eduardo García (Gualo).

Foto inédita tomada por el autor en su recorrido.

Foto inédita tomada
por el autor
en su recorrido.

En Guatemala
con Ricardo Rojo,
Luzmila Oller,
Eduardo García (Gualo),
Hilda Gadea,
Oscar Valdovinos,
entre otros.

Foto inédita tomada
por el autor
en su recorrido.

En México.

Foto inédita tomada por el autor, El Popocatépetl.

En México.

Grupo de amigos en uno de los intentos de subir El Popocatépelt.

Foto inédita tomada por el autor. Castillo de Chichén-Itzá.

Castillo de Chichén-Itzá. (Foto tomada por Ernesto, hijo, en la actualidad.)

Foto inédita tomada por el autor. Tribuna del norte. El Juego de Pelota. Chichén-Itzá.

Foto inédita tomada por el autor. El Caracol o el Observatorio. Chichén-Itzá.

Foto inédita tomada por el autor. Templo de los Guerreros. Chichén-Itzá.

Templo de los Guerreros. Chichén-Itzá. (Foto tomada por Ernesto, hijo, en la actualidad.)

Foto inédita tomada por el autor. Templo de los Jaguares. Chichén-Itzá.

Templo de los Jaguares. Chichén-Itzá. (Foto tomada por Ernesto, hijo, en la actualidad.)

Foto inédita
tomada
por el autor.
El Osario.
Chichén-Itzá.

Foto inédita
tomada
por el autor.
Plataforma
de los Tigres.
Chichén-Itzá.

Plataforma de los Tigres.
Chichén-Itzá.
(Foto tomada
por Ernesto, hijo,
en la actualidad.)

Foto inédita
tomada por el autor.
El Cenote Sagrado.
Chichén-Itzá.

Foto inédita
tomada
por el autor.
Vista panorámica
del Castillo
de Chichén-Itzá
y el Templo
de los Guerreros
desde el Caracol
(Observatorio).

Foto inédita tomada
por el autor.
Las Monjas,
vista desde el Caracol
(Observatorio).

Foto inédita tomada por el autor. Iglesia de un pueblo cerca de Uxmal.

Foto inédita tomada por el autor. Templo del Adivino. Uxmal.

Uxmal. (Foto tomada por Ernesto, hijo, en la actualidad.)

Uxmal. (Foto tomada por Ernesto, hijo, en la actualidad.)

Uxmal. (Foto tomada por Ernesto, hijo, en la actualidad.)

Uxmal. (Foto tomada por Ernesto, hijo, en la actualidad.)

Uxmal. (Foto tomada por Ernesto, hijo, en la actualidad.)

Foto inédita tomada por el autor. Palacio del Gobernador. Uxmal.

Palacio del Gobernador. Uxmal. (Foto tomada por Ernesto, hijo, en la actualidad.)

Foto inédita tomada por el autor. Palacio del Gobernador. Uxmal.

Palacio del Gobernador. Uxmal. (Foto tomada por Ernesto, hijo, en la actualidad.)

Foto inédita tomada por el autor. Entrada al patio del Cuadrángulo de las Monjas. Uxmal.

Foto inédita tomada por el autor. Mascarones del Dios Chac y el Templo de Venus. Uxmal.

Mascarones del Dios Chac y el Templo de Venus. Uxmal. (Foto tomada por Ernesto, hijo, en la actualidad.)

Vista panorámica de los restos arqueológicos de Uxmal. (Foto tomada por Ernesto, hijo, en la actualidad.)

Vista panorámica de los restos arqueológicos de Uxmal. (Foto tomada por Ernesto, hijo, en la actualidad.)

Foto inédita tomada por el autor. Catedral de Campeche vista desde el Mercado.

El autor en Campeche.

Foto inédita
tomada
por el autor.
Fuerte
de Campeche.
Puerta
de tierra.

Foto inédita
tomada por el autor.
Lago Catemaco.

Foto inédita tomada
por el autor.
Coatzacoalcos
desde Allende.

Foto inédita
tomada por el autor.
Puerto Alvarado
sobre el Papaloapan.

Foto inédita
tomada
por el autor.
Márgenes
del Papaloapan.

En el ferry cruzando
el Papaloapan.

Foto inédita
tomada por el autor.
Boca del Río,
pequeña localidad
de pescadores.

Foto inédita tomada
por el autor.
Palenque. Templo
de las Inscripciones
y de la Tumba,
desde el Observatorio.

Foto inédita
tomada
por el autor.
Palenque.
Jeroglíficos.

Foto inédita
tomada por el autor.
Palenque.
Templo del Conde
y Palacio del Norte.

Foto inédita
tomada
por el autor.
Palenque.
Cascada
del Arroyo

Foto inédita
tomada
por el autor.
Palenque.
Medallón.

Foto inédita
tomada
por el autor.
Juegos
Panamericanos
de México
1955.

Foto inédita tomada
por el autor.
Juegos Panamericanos
de México 1955.
"Bod Richard
trasponiendo
la varilla a 4,50 m."

Foto inédita tomada por el autor. Juegos Panamericanos de México 1955.
"Desfila la cuarteta mexicana que impusiera su calidad en la Copa de las Naciones."

Foto inédita tomada por el autor. Juegos Panamericanos de México 1955.
"Se larga la final de los 1 500 metros llanos."

Foto inédita tomada por el autor. Juegos Panamericanos de México 1955.
"Beckler, de Argentina, sale en primer lugar en la posta corta."

Foto inédita tomada por el autor. Juegos Panamericanos de México 1955.
"Se esfuerza Miranda y gana el toque."

Subiendo El Popocatépelt.

En Ciudad
de México.

En el patio de la estación migratoria Miguel E. Schulz 136 (Prisión) México.

En la estación migratoria Miguel E. Schulz 136, con Reinaldo Benítez Nápoles, Alberto Bayo, Universo Sánchez.

En la estación migratoria Miguel E. Schulz 136, con un grupo de futuros expedicionarios del "Granma" y la compañera María Antonia.

Recorrido de Ernesto Guevara por América del Sur y Centroamérica.

Recorrido de Ernesto Guevara por algunos países del continente americano.

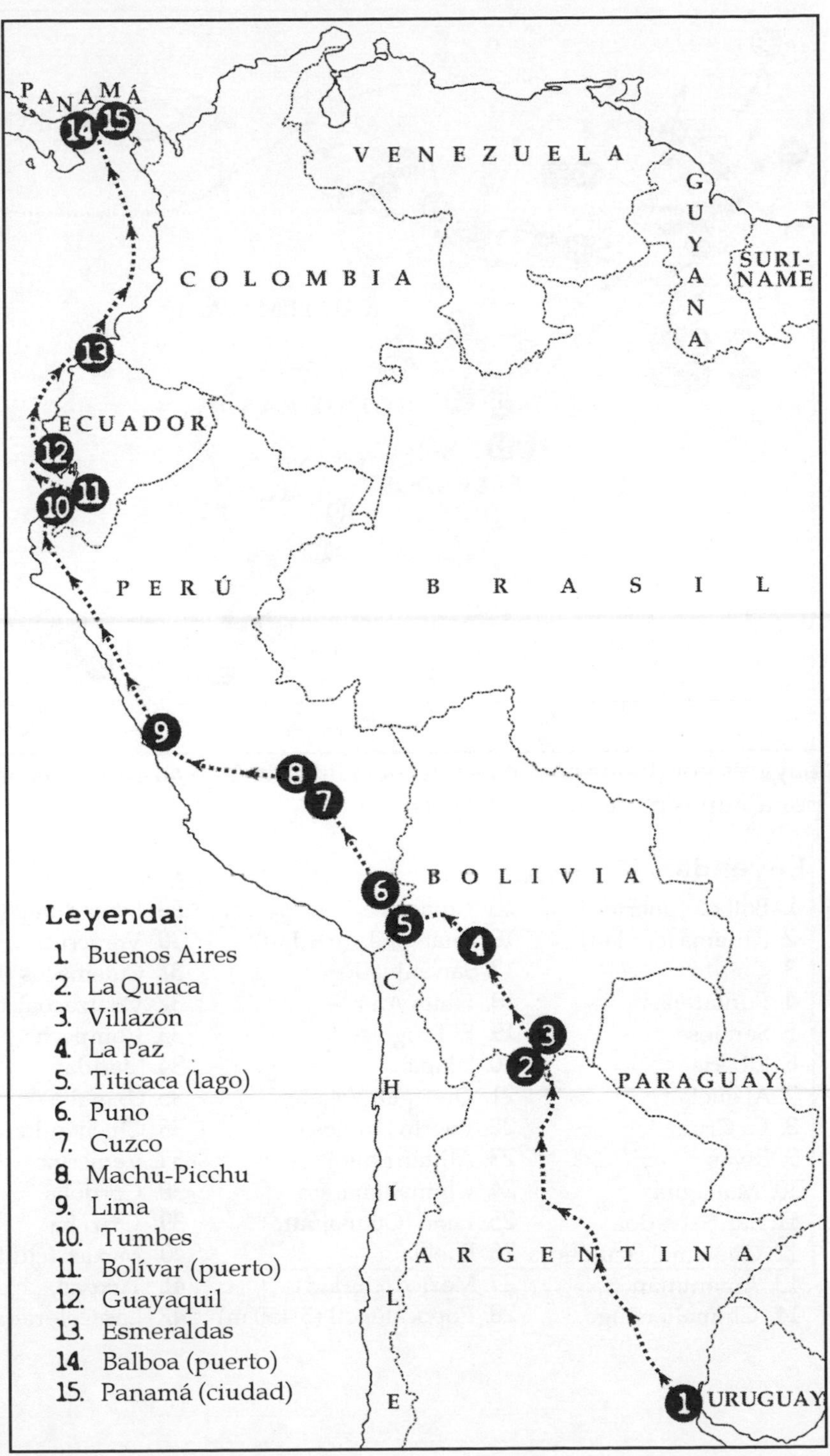

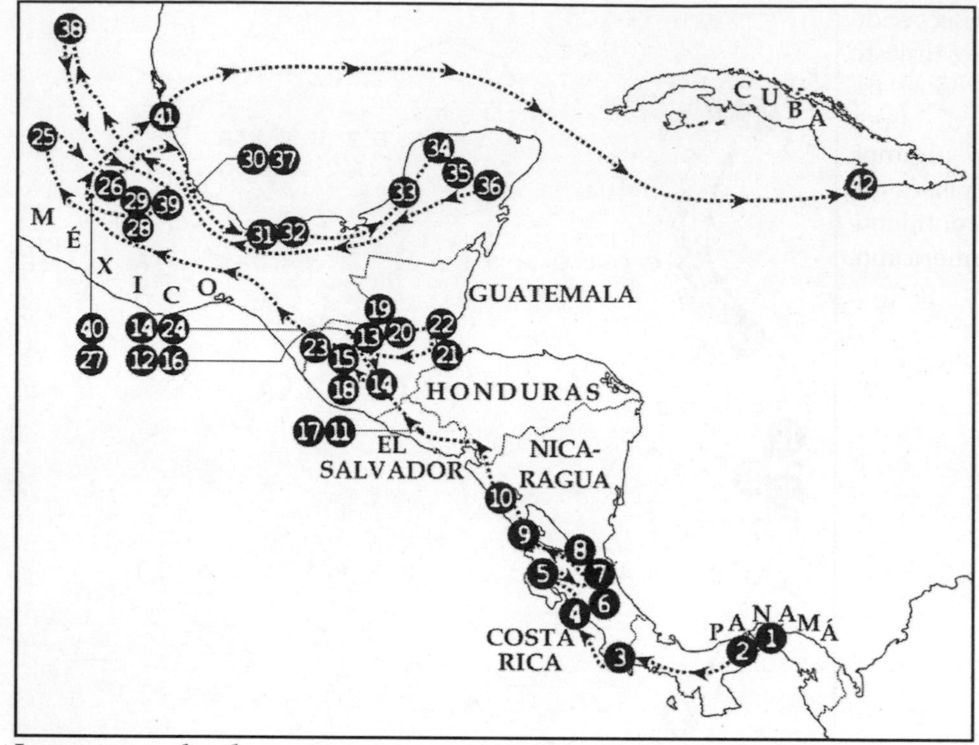

Lugares por donde pasó o permaneció Ernesto Guevara en su recorrido por algunos países del continente.

Leyenda:

1. Balboa (puerto)
2. Panamá (ciudad)
3. Golfito
4. Puntarenas
5. San José
6. Liberia
7. Alajuela
8. La Cruz
9. Rivas
10. Managua
11. San Salvador
12. Guatemala (ciudad)
13. Amantitlán
14. Chimaltenango
15. Tiquisate
16. Guatemala (ciudad)
17. San Salvador
18. Santa Ana
19. El Progreso
20. Jalapa
21. Quiriguá Vieja
22. Puerto Barrios
23. Atlitán (lago)
24. Chimaltenango
25. León (Guanajuato)
26. Puebla
27. México (ciudad)
28. Popocatépetl (5 450 m)
29. Iztaccihuatl (5 286 m)
30. Veracruz
31. Catemacos (lago)
32. Coatzacoalcos (río)
33. Campeche
34. Mérida
35. Uxmal
36. Chichén-Itzá
37. Veracruz
38. Córdoba
39. Orizaba
40. México (ciudad)
41. Tuxpan
42. Las Coloradas (Cuba)

Anexo

Por su importancia histórica, se reproducen, en el Anexo, cartas enviadas a su familia, posteriores a los sucesos que narra en el Diario, el que evidentemente deja inconcluso por su decisión irrevocable de participar en la preparación militar de los futuros expedicionarios del "Granma". Se agregan, además, noticias aparecidas en diarios mexicanos que reportan su encarcelamiento y gestiones para su liberación.

Las notas a partir de ahora son de Ernesto Guevara Lynch. Aquí va un soldado de América. *Editorial Planeta, Argentina, 1987.*

Carta a la madre

Cuzco 22 [agosto de 1953]

Calá el epígrafe mami:

Me di el gran gustazo por segunda vez y ahora a lo semibacán, pero el efecto es diferente, Alberto se tiraba en pasto a casarse con princesas incas, a recuperar imperios. Calica putea contra la mugre y cada vez que pisa uno de los innumerables zoretes,[1] que jalonan las calles, en vez de mirar al cielo y alguna catedral recortada en el espacio se mira los zapatos sucios. No huele esa impalpable materia evocativa que forma Cuzco, sino el olor a guiso y a bosta; cuestión de temperamentos.

Toda esa aparente incoherencia de me voy, me fui, yo no he ido, etc., respondía a la necesidad que teníamos de que se nos supiera fuera de Bolivia, porque se esperaba una revuelta de un momento a otro y teníamos la sana intención de quedarnos a verla de cerca. Para nuestro desencanto no se produjo y sólo vimos manifestaciones de fuerza del gobierno, que, contra todo lo que digan, me parece sólido.

Estuve por ir a trabajar a alguna mina pero no estaba dispuesto a quedarme más de un mes y me ofrecían tres como mínimo, de modo que no agarré.

Posteriormente nos fuimos a la orilla del lago Titicaca o Copacabana y pasamos un día en la Isla del Sol, famoso santuario del tiempo de los incas donde se cumplió uno de mis más caros anhelos de explorador: encontré en un cementerio indígena una estatuita de mujer del tamaño de un dedo meñique, pero ídolo al fin, hecho del famoso chompi, la aleación de los incas.

Ya al llegar a la frontera había que andar dos kilómetros sin que hubiera transporte, y a mí me tocó como un kilóme-

[1] *Excremento humano.*

tro llevar la valija mía llena de libros que era un explosivo. Llegamos los dos y dos peoncitos con la lengua por los tobillos.

En Puno se armó la bronca con la aduana porque me requisaron un libro boliviano diciendo que era rojo. No hubo forma de convencerlos de que eran publicaciones científicas.

De mi vida futura no te hablo porque no sé nada, ni siquiera cómo andarán las cosas en Venezuela; pero ya conseguimos la visa por intermedio [...] del futuro más lejano te diré que sigo en mis trece de los 10 000 u$s que tal vez hagamos un nuevo viaje por Latinoamérica, pero esta vez en dirección norte-sur con Alberto, y que tal vez sea en helicóptero. Luego Europa y luego oscuro.

Carta a su amiga Tita Infante

Lima, septiembre 3

Querida Tita:[1]

Lamento tener que escribirle usando ésta mi bella letra, pero no conseguí máquina alguna que remediara el mal. De todos modos espero que tenga algún día libre para dedicarlo a leer esta carta.

Vamos al grano. Agradézcale a su amigo Ferreira la carta de presentación para el colegio boliviano. El doctor Molina me trató muy amablemente y se mostró encantado conmigo y también con mi compañero de viaje, el que Ud. conoció en casa. Enseguida nos ofreció un puesto a mí de médico y a Calica de enfermero en una mina; aceptamos, pero restringiendo a uno los tres meses que quería hacernos quedar. Todo listo y tan amigos teníamos que presentarnos al otro día para ultimar detalles. Cuál sería nuestra sorpresa cuando nos encontramos al siguiente día con que el Dr. Molina había ido de inspecciones por la cadena de minas y volvería recién a los 2 ó 3 días. Nos presentamos pasado este tiempo y ni noticias de Molina, pero se creía que en dos días estaría de vuelta. Sería muy largo enumerarle las veces que fuimos en su búsqueda, el hecho es que pasaron veinte días antes de que estuviera de vuelta, y ya no podíamos ir por un mes pues con la pérdida se hacían dos, de modo que nos dio unas letras para el encargado de una mina de Wolfram y allí fuimos a pasar 2 ó 3 días. Es muy interesante, sobre todo que la mina está situada en un paraje maravilloso. Fue un viaje sin desperdicio.

Le diré que en La Paz me olvidé del régimen y de todas esa macanas, a pesar de lo cual estuve magníficamente durante el mes y medio que permanecí. Paseamos algo por los

[1] *Berta Gilda* (Tita) *Infante, militante de la Juventud Comunista Argentina y estudiante de Medicina fue muy amiga de Ernesto Guevara.*

alrededores más o menos lejanos de la capital, como los Yungas, que son unos valles tropicales preciosos, pero una de las cosas interesantes a que nos dedicábamos era a otear el panorama político que es sumamente interesante. Bolivia es un país que ha dado un ejemplo realmente importante a América. Vimos el escenario mismo de las luchas, los impactos de bala y hasta restos de un hombre muerto en la pasada revolución y encontrado recién en una cornisa donde había volado su tronco, ya que explotaron los cartuchos de dinamita que llevaba a la cintura. En fin, se ha luchado sin asco. Aquí las revoluciones no se hacen como en Buenos Aires, y dos o tres mil muertos (nadie sabe exactamente cuántos) quedaron en el campo.

Todavía ahora la lucha sigue y casi todas las noches hay heridos de bala de uno u otro bando, pero el gobierno está apoyado por el pueblo armado de modo que no hay posibilidades de que lo liquide un movimiento armado desde afuera y sólo puede sucumbir por sus luchas internas.

El M.N.R. es un conglomerado en el que se notan tres tendencias más o menos netas: la derecha, que está representada por Siles Suazo, el vicepresidente y héroe de la revolución; el centro, por Paz Estenssoro, más resbaladizo aunque probablemente tan derechista como el primero, y la izquierda por Lechín, que es la cabeza visible de un movimiento de reivindicación serio, pero que personalmente es un advenedizo mujeriego y parrandero. Probablemente el poder quede en definitiva en manos del grupo Lechín, que cuenta con la poderosa ayuda de los mineros armados, pero la resistencia de sus colegas de gobierno puede ser seria sobre todo ahora que el ejército se reorganizará.

Bueno, le he contado algo del panorama boliviano, de Perú le contaré luego, cuando haya vivido un poco más aquí, pero en general me parece que el dominio yanqui ni siquiera ha significado para Perú ese ficticio bienestar económico que se puede ver en Venezuela, por ejemplo.

De mi vida futura sé poco en cuanto a rumbo y menos en cuanto a tiempo. Pensábamos ir a Quito y de allí a Bogotá y luego Caracas, pero los caminos intermedios los desconocemos. Aquí a Lima llegué nuevamente por vía Cuzco.

No me canso de recomendarle que en cuanto pueda haga una visita allí, y sobre todo a Machu-Picchu. Le aseguro que no se va a arrepentir.

Me imagino que desde que me fui habrá dado por lo menos 5 materias, y me imagino también que seguirá pescando gusanos entre la miércoles. De todas maneras en cuestión de vocaciones hay poco o nada escrito, pero si algún día cambia la suya cloaquera por la de conocer mundo

acordáte de este amigo
que por vos ha de jugarse el pellejo
pa´ayudarte en lo que pueda
cuando llegue la ocasión

un abrazo y hasta cuando se le ocurra y yo llegue por donde se le haya ocurrido.

Ernesto

Carta a la madre

Guayaquil [21de octubre de 1953]

Te escribo la carta que leerás vaya a saber cuándo desde mi nueva posición de aventurero 100%. Mucha agua corrió bajo los puentes luego de mi última noticia epistolar.

El grano es así: Caminábamos un poco añorantes de la amada patria, Calica, García (una de las adquisiciones) y yo. Hablábamos de lo bien que estarían los dos componentes del grupo que habían conseguido partir para Panamá y comentábamos la formidable entrevista con X.X., este ángel de la guarda que me diste, lo que te cuento luego. El hecho es que García, como al pasar, largó la invitación de irnos con ellos a Guatemala, y yo estaba en una especial disposición psíquica para aceptar. Calica prometió dar su respuesta al día siguiente y la misma fue afirmativa, de modo que había cuatro nuevos candidatos al oprobio yanqui. Pero en ese momento se iniciaron nuestras desdichas en los consulados, llorando todos los días para conseguir la visa a Panamá, que es el requisito que falta, y después de variadas alternativas con sus correspondientes altibajos psíquicos pareció decidirse por el no. Tu traje, tu obra maestra, la perla de tus sueños, murió heroicamente en una compraventa, y lo mismo sucedió con todas las cosas innecesarias de mi equipaje, que ha disminuido mucho en beneficio de la alcanzada (suspiro) estabilidad económica del terceto.[1]

Lo concreto es lo siguiente: si un capitán semiamigo accede a hacer la matufia necesaria, podremos viajar a Panamá García y yo, y luego el esfuerzo mancomunado de los que llegaron a Guatemala, más los de aquel país, remolcarán al rezagado que queda en prenda de las deudas exis-

[1] El terceto lo integran Gualo García, Andrews Herrera y Ernesto, pues Calica partió hacia Venezuela.

tentes; si el capitán de marras se hace el burro, los mismos dos compinches seguirán con rumbo a Colombia, quedando siempre la prenda aquí, y de allí partirán con rumbo guatemalteco en lo que dios todopoderoso ponga incauto al alcance de sus garras.

Guayaquil 24, después de muchas idas y venidas y de llamar harto, más meter un perro discreto, tenemos la visa a Panamá. Salimos mañana domingo y estaremos el 29 a 30 por allí. Escribí rápido al consulado.

Ernesto

Nota del periódico La Hora

Dos estudiantes de Argentina visitaron anoche a "La Hora"

Visitaron ayer la redacción de "La Hora" los estudiantes argentinos Eduardo García, de la facultad de Derecho de la Universidad del Plata, y el Dr. Ernesto Guevara especialista en alergia y lepra.

Los jóvenes mencionados por medio de las páginas del periódico diferente saludan a los estudiantes panameños. La permanencia de los estudiantes argentinos en esta ciudad será corta. Su viaje es de buena voluntad y piensan visitar varios países de Centro América.

Nota del periódico Diario de Costa Rica

"Experimento Extraordinario es el que se Realiza en Bolivia"

"Con una capacidad mínima, el país está haciendo cosas dignas de encomio".— Anotaciones de viaje de dos jóvenes argentinos que recorren el continente por tierra

Eduardo Paul García, de 26 años y Ernesto Guevara Serna, de 25, son dos jóvenes argentinos que dejaron por un tiempo sus estudios — el primero los realiza en la Facultad de Leyes de la Universidad de la Plata y el segundo es doctor en medicina— para emprender un viaje por tierra a través de todo el continente americano.

Su *jira* tiene el único propósito de ampliar el ámbito de su cultura general y de estudiar a fondo, en el propio terreno y sin ulteriores pretensiones, los problemas que afectan a los países indoamericanos.

Salieron, en enero del año que ya va a terminar, de Buenos Aires. Cuatro integraban la aventurada peregrinación: uno ha debido quedarse en Ecuador, otro se encuentra ya en Guatemala y Paul García y Guevara Serna van por la mitad del camino.

Su itinerario ha comprendido, hasta ahora, a Bolivia, Perú, Ecuador y Panamá. Recorrerán todo Centro América y finalizarán el viaje en México.

Mil dólares les ha costado hasta lo presente la jira. Ellos mismos, con su trabajo y con sus ahorros, la han financiado.

A ambos interesan, particularmente, los estudios de arte autóctono. Guevara Serna tiene especial interés en ponerse en contacto con médicos especialistas en leprología para cambiar impresiones sobre métodos de tratamiento y profilaxis.

"El país que más nos ha impresionado es, sin duda alguna, Bolivia. Durante los dos meses que estuvimos recorriendo la zona minera y otras regiones importantes de su territorio, nos hemos impuesto del estado de gestación en que se encuentran sus instituciones. El experimento es de lo más interesante y valioso que puede haber. Con una capacidad mínima se realizan empresas extraordinarias, que están produciendo una profunda transformación en múltiples aspectos de la vida política, social y económica de Bolivia. Y tanto es así que todos los países del hemisferio tienen los ojos puestos en aquella pujante y revolucionaria República".

"Nuestro interés por los asuntos arqueológicos nos ha llevado a admirar, en toda su grandeza, el Machu-pichu, ciudad perdida cerca de Cuzco, en Perú, donde una gran civilización histórica tuvo su asiento. Todos los americanos deberían conocerla".

"Deseamos presentar por medio de DIARIO DE COSTA RICA un saludo muy cordial a este bello país. Agradecemos profundamente a los habitantes de Golfito su cálido recibimiento. Fue en aquel puerto donde empezamos a disfrutar de la hospitalidad tica, que tiene tanta y tan bien ganado fama en Suramérica".

Los señores Paul García y Guevara Serna permanecerán en San José por espacio de una semana. Esperamos les sea grata su estada.

Un vistazo a las márgenes del gigante de los ríos

El Amazonas, con su cortejo tributario, configura un enorme continente pardo enclavado en el centro de América. En los largos meses lluviosos, todos los cursos de agua aumentan su caudal en tal forma que esta invade la selva convirtiéndola en morada de animales acuáticos o aéreos. Sólo en las tierras, éstas que, como manchas emergen de la sábana parda de las aguas, se pueden refugiar las bestias terrestres. El caimán, la piraña o el canero son los nuevos peligrosos huéspedes de la Tronda, reemplazando al tigrillo, al yaguareté o al pecarí en la tarea de impedir al ser humano sentar sus reales sobre la maraña.

Desde la lejana época en que las huestes de Orellana, angustiadas y hambrientas, posaron su vista en ese mar barroso y lo siguieron en improvisados navíos hacia el mar, se han hecho miles de conjeturas sobre el exacto lugar donde nace el gigante. Mucho tiempo se consideró al Marañón como el verdadero nacimiento del río, pero la moderna investigación geográfica ha derivado sus investigaciones hacia el otro poderoso tributario, el Ucallaly, y siguiendo pacientemente sus márgenes, desmembrándolo en afluentes cada vez más pequeños, se llegó a un diminuto lago, que, en la cima de los Andes, da nacimiento al Apurimac, arroyo cantarín primero, poderosa voz de la montaña posteriormente, justificando entonces su nombre, ya que en quechua, apurimac significa el gran aullador. Allí nace el Amazonas.

Pero, ¿quién se acuerda aquí de los límpidos torrentes de montaña? ¿Aquí donde el río alcanzó su definitiva categoría de coloso y su silencio enorme aumenta el misterio de la noche de la selva? Estamos en San Pablo, una colonia de enfermos del mal de Hansen que el gobierno peruano sostiene en los confines de su territorio y nosotros utilizamos como base de operaciones para entrar en el corazón del bosque.

En todas las imágenes de la selva, ya sean los paraísos policromos de Hudson o aquellas de sombríos tonos de José E. Rivera, se subestima al más pequeño y más terrible de los enemigos, el mosquito. Al caer la tarde, una nube cambiante flota en el agua de los ríos y se arroja sobre cuanto ser viviente pase por allí. Es mucho más peligroso entrar a la selva sin un mosquitero que sin un arma. Las fieras carniceras difícilmente ataquen al hombre, no todas las "cochas" que hay que vadear están habitadas por caimanes o pirañas, ni los ofidios se arrojarán sobre el viajero para inocularle el veneno o ahogarlo en un abrazo de muerte: pero los mosquitos atacarán. Lo picarán inexorablemente en todo el cuerpo dejándole, a cambio de la sangre que se llevan, fastidiosas ronchas y, una que otra vez, el virus de la fiebre amarilla o más frecuentemente, el parásito productor del paludismo.

Hay que descender siempre a lo pequeño para ver al enemigo. Otro, invisible y poderoso, es el Anchylostoma, un parásito cuyas larvas se introducen perforando la piel desnuda de las gentes descalzas y luego de un viaje por todo el organismo, se instalan en el tubo digestivo, provocando, con las continuas extracciones de sangre, anemias muy serias que padecen casi todos los habitantes de la zona, en mayor o menor escala.

Caminamos por la selva, siguiendo el flexuoso [sic] trazo de un sendero indígena, rumbo a las chozas de los Yaguas, aborígenes de la región. El monte es enorme y sobrecogedor, sus ruidos y sus silencios, sus surcos de agua oscura o la gota limpia que se desprende de una hoja, todas sus contradicciones tan bien orquestadas, reducen al caminante hasta convertirlo en un punto en algo sin magnitud, ni pensamiento propio. Para escapar al influjo poderoso hay que fijar la vista en el amplio y sudoroso cuello del guía o en las huellas esbozadas en el piso del bosque que indican la presencia del hombre y recuerdan la fuerza de la comunidad que lo respalda. Cuando toda la ropa se ha pegado sobre el cuerpo y varios manantiales resbalan por nuestras cabezas abajo, llegamos al caserío. Un corto número de chozas construidas sobre estacas, en un claro de la selva y un matorral de yucas, que constituye la base alimenticia de estos indios, son sus riquezas: efímeras riquezas que deben ser abandonadas cuando las lluvias hinchen las venas de la selva y el agua los empuje hacia las tierras altas, con la cosecha de yucas y frutos de palmera que los harán subsistir.

Durante el día, los yaguas viven en casas abiertas con techo de palma y una plataforma que los aleja de la humedad del suelo, pero al caer la noche, la plaga de mosquitos es más fuerte que sus cueros estoicos y el aceite de repugnante olor con que se untan el cuerpo, y deben refugiarse en unas cabañas de hoja de palmera, a las que cierran herméticamente con una puerta del mismo material. Las horas que dure la oscuridad permanecen encerrados en el refugio todos los integrantes de la tribu, para quienes, la promiscuidad en que transcurren no tiene efectos molestos sobre su sensibilidad, ya que las reglas morales por las que nos regimos no significan nada en su mundo tribal. Me asomé a la puerta de la choza y un olor repugnante de untos extraños y cuerpos sudorosos me repelió enseguida.

La vida de esta gente se reduce a seguir mansamente las órdenes que la naturaleza da por intermedio de las lluvias. En esa época invernal comen la yuca y las patatas recolectadas en verano y salen con sus canoas de tronco a pescar entre la maraña de la selva. Es curioso verlos: una inmovilidad vigilante a la que nada turba y en la diestra el pequeño arpón levantado; el agua oscura no deja ver nada, de pronto, un movimiento brusco y el arpón se hunde en ella, se agita el agua un momento y luego se ve sólo la diminuta boya que éste se lleva en un extremo, unida a la varilla por un hilo de uno o dos metros de largo. Los fuertes golpes de pala mantienen la canoa cerca del flotador hasta el momento en que el pez, exhausto, deja de luchar.

En época propicia viven también de la caza. A veces cobran una gran pieza con alguna vieja escopeta conseguida por quién sabe que extraña transacción pero, en general, prefieren la silenciosa cervatana. Cuando las bandas de micos cruzan entre el follaje, una pequeña púa untada de curare hiere a alguno de los monos; éste, sin lanzar un grito, se extrae la incómoda punta y sigue su camino durante algunos metros, hasta que el veneno surte efecto y el mico se desploma vivo, pero incapaz de emitir un sonido. Durante todo el tiempo en que pasa la bulliciosa pandilla, la cervatana funciona constantemente, mientras, la vigilante mirada compañera del cazador va marcando en el follaje los puntos donde caen los animales heridos. Cuando el último mico, ajeno a la tragedia, se aleja, sin que una sola de las piezas quede sin recoger, vuelven los cazadores con su contribución alimenticia a la comunidad.

Festejando el arribo de los visitantes blancos, nos obsequiaron con uno de los monos cobrados en la forma relatada. En un improvisado asador preparamos el animal a la usanza de nuestras pampas argentinas y probamos su carne, dura y amarga pero con agradable sabor agreste, dejando entusiasmados a los indígenas con la forma de aderezar el manjar.

Para corresponder al regalo, entregamos dos botellas de un refresco que llevábamos con nosotros. Los indios bebieron ávidamente el contenido y guardaron las tapitas con religiosa unción, en la bolsa de fibra trenzada que llevan pendiente de su cuello y donde se encuentran sus más preciados tesoros: algún amuleto, los cartuchos, un collar de pepas, un sol peruano etc.

Al volver, algo hostilizados por la noche que caía, uno de ellos nos guió por atajos que nos permitieron llegar antes al seguro refugio que significaban las telas metálicas de la colonia. Nos despedimos con un apretón de manos a la usanza europea, dándome el guía de regalo una de las fibras que formaban su pollera, única vestimenta de los yaguas.

Se ha exagerado mucho sobre los peligros y tragedias del monte, pero hay un punto en que tenemos una experiencia que certifica la verdad. Se dice siempre que es peligroso separarse del sendero trazado cuando uno marcha en la selva, y es cierto. Un día hicimos la prueba, relativamente cerca de la base de operaciones que habíamos tomado y de pronto nos miramos desconcertados, ya que el sendero que queríamos retomar parecía haberse diluido. Dimos cuidadosas vueltas en torno, buscándolo, pero fue en vano.

Mientras uno se quedaba fijo en un punto, otro camina en línea recta y volvía guiado por los gritos. Hicimos así una estrella completa, sin resultado. Afortunadamente, nos habían puesto sobre aviso previniendo la situación en que nos encontrábamos y buscamos un árbol especial, cuyas raíces forman tabiques de unos centímetros de grueso que sobresalen de la tierra hasta dos metros a veces y que parecen hacer de sostén adicional de la planta.

Con un palo de regular tamaño, comenzamos a darles con todas nuestras fuerzas a los tabiques vegetales: se produjo entonces un ruido sordo, no muy fuerte, pero que se oye a gran distancia, mucho más efectivo que un disparo de arma de fuego al que el follaje ahoga. Al rato, un indio de sonrisa burlona apareció con su escopeta y con una seña nos condujo al camino, mostrándonos la ruta con un gesto: sin saber cómo, nos habíamos separado unos quinientos metros del sendero.

En general, se tiene la idea de que la selva es un lujurioso paraíso de alimentación; no es así. Un habitante conocedor nunca morirá de hambre en ella, pero si algún incauto se pierde en el bosque los problemas alimenticios son serios. Ninguna de las especies de frutas tropicales conocidas por nosotros crece espontáneamente en él. Como alimentación vegetal silvestre hay que recurrir a ciertas raíces y frutos de palmera que sólo una persona experimentada puede diferenciar de similares venenosos; es sumamente difícil cazar a quien no esté acostumbrado a ver en una ramita partida el rastro de algún chancho del monte o un venado, a quien no conozca los abrevaderos y sepa deslizarse por la maraña sin hacer el menor ruido; y pescar, en un lugar donde la densidad de animales acuáticos es tan grande, constituye, no obstante, un arte bastante complejo ya que existe una remota posibilidad de que los peces muerdan el anzuelo y el sistema de arponearlos no es sencillo ni mucho menos. Pero la tierra trabajada, ¡qué piñas enormes, qué papayas, qué plátanos! Una pequeña labor se ve recompensada con éxitos rotundos. Y sin embargo, parece que el espíritu de la selva tomara a los moradores de ésta y los confundiera con ella. Nadie trabaja si no es para comer. Como, el mono, que busca entre las ramas el diario sustento sin pensar en el mañana o el tigrillo que sólo mata para satisfacer sus necesidades alimenticias, el colono cultiva lo preciso para no morirse de hambre.

Los días pasaron con mucha rapidez en medio de trabajos científicos, excursiones y cacerías por los alrededores. Llegó la hora de la despedida y, la noche de la víspera, dos canoas repletas de enfermos del mal de Hansen se acercaron al embarcadero de la zona sana de la colonia para testimoniarnos su afecto. Era un espectáculo impresionante el que formaban sus facies leoninas, alumbradas por la luz de las antorchas, en la noche amazónica. Un cantor ciego entonó huaynitos y marineras, mientras la heterogénea orquesta hacía lo imposible por seguirlo. Uno de los enfermos pronunció el discurso de despedida y agradecimiento; de sus sencillas palabras emanaba una emoción profunda que se unía a la imponencia de la noche. Para esas almas simples, el solo hecho de acercarse a ellas, aunque no sea sino con un afán de curiosidad merece el mayor de los agradecimientos. Con la penosa mueca con que quieren expresar el cariño que no pueden manifestar en forma de apretón de manos, aunque sea, ya que las leyes sanitarias se oponen terminantemente, al contacto de una piel sana con otra enferma, se acabó la serenata y la despedida. La música y el adiós han creado un compromiso con ellos.

La pequeña balsa en que seguiríamos nuestro camino acuático estaba atestada de regalos comestibles del personal de la colonia y de los enfermos que rivalizaban en darnos la piña más grande, la papaya más dulce, o el pollo más gordo. Un pequeño empujoncito hacia el centro del río y ya estábamos sólo conversando con él.

"Sobre las ancas del río
viene el canto de la selva,
viene el dolor que mitigan
sobre las balsas que llegan.
Y los balseros curtidos
sobre las rutas sangrientas
del caracol de los ríos
vienen ahogando sus penas."

Llevamos dos días de navegación río abajo y esperábamos el momento en que apareciera Leticia, la ciudad colombiana a donde queríamos llegar, pero había un serio inconveniente ya que nos era imposible dirigir el armatoste. Mientras estábamos en medio del río, muy bien, pero si por cualquier causa pretendíamos acercarnos a la orilla, sosteníamos con la corriente un furioso duelo del que ésta salía triunfante siempre, manteniéndonos en el medio hasta que, por su capricho, nos permitía arrimar a una de las márgenes, la que ella quisiera. Fue así que en la noche del tercer día, se dejaron ver las luces del pueblo; y así fue que la balsa siguió imperturbable su camino pese a nuestros desaforados intentos. Cuando parecía que el triunfo coronaba nuestros afanes, los troncos hacían pirueta y quedaban orientados nuevamente hacia el centro de la corriente. Luchamos hasta que las luces se fueron apagando río arriba y ya nos íbamos a meter en el refugio del mosquitero, abandonando las guardias periódicas que hacíamos, cuando el último pollo, el apetecido manjar, se asustó y cayó al agua. La corriente lo arrastraba un poco más ligero que a nosotros; me desvestí. Estaba listo para tirarme, sólo tenía que dar dos brazadas, aguantar, la balsa me alcanzaba sola. No sé bien lo que pasó; la noche, el río tan enigmático, el recuerdo, subconsciente o no, de un caimán, en fin, el pollo siguió su camino mientras yo, rabioso conmigo mismo, me prometía tirarme y nuevamente retrocedía, hasta abandonar la empresa. Sinceramente, la noche del río me sobrecogió; fui cobarde frente a la naturaleza. Y luego, ambos, los compañeros, fuimos enormemente hipócritas: nos condolimos de la horrible suerte del pobre pollo.

Despertamos varados en la orilla, en tierra brasileña, a muchas horas de la canoa de Leticia adonde fuimos trasladados gracias a la amabilidad proverbial de los pobladores del gigantesco río.

Cuando volábamos en el "Catalina" de las fuerzas armadas de Colombia, mirábamos abajo la selva inmensa. Un gran coliflor verde, interrumpido apenas por el hilo pardo de un río estrecho, desde la altura, se extendió por miles de kilómetros y horas de vuelo. Y por eso era sólo una ínfima parte del gigantesco continente amazónico con el que habíamos sostenido una íntima amistad durante varios meses y a cuya franqueza nos inclinábamos reverente.

Abajo, emergiendo del follaje y flotando sobre los ríos, el espíritu de Canaima, el dios de la selva, levantaba su mano en seña de despedida.

Ernesto Guevara Serna

Machu-Picchu, enigma de piedra en América

Relato exclusivo para Siete *por el Dr. Ernesto Guevara Serna (Diciembre 12 de 1953).*

Coronando un cerro de agrestes y empinadas laderas, a 2 800m sobre el nivel de mar y 400 sobre el caudaloso Urubamba, que baña la altura por tres costados, se encuentra una antiquísima ciudad de piedra que, por ampliación, ha recibido el nombre del lugar que la cobija: Machu-Picchu.

¿Es esa su primitiva denominación? No, este término quechua significa Cerro Viejo, en oposición a la aguja rocosa que se levanta a pocos metros del poblado, Husina Picchu, Cerro Joven; descripciones físicas referidas a cualidades de los accidentes geográficos, simplemente. ¿Cuál será entonces su verdadero nombre? Hagamos un paréntesis y traslademonos al pasado.

El siglo XVI de nuestra era fue muy triste para la raza aborigen de América. El invasor barbado cayó como un aluvión por todos los ámbitos del continente y los grandes imperios indígenas fueron reducidos a escombros. En el centro de América del Sur, las luchas intestinas entre los dos postulantes a heredar el cetro del difunto Huaina-Capac, Atahualpa y Huascar, hicieron más fácil la tarea destructora sobre el más importante imperio del continente.

Para mantener quieta la masa humana que cercaba peligrosamente el Cuzco, uno de los sobrinos de Huascar, el joven Manco II, fue entronizado. Esta maniobra tuvo inesperada continuación: los pueblos indígenas se encontraron con una cabeza visible, coronada con todas las formalidades de la ley incaica, posibles bajo el yugo español y un monarca no tan fácilmente manejable como quisieran los españoles. Una noche desapareció con sus principales jefes, llevándose el gran disco de oro, símbolo del sol, y, desde ese día, no hubo paz en la vieja capital del imperio.

Las comunicaciones no eran seguras, bandas armadas correteaban por el territorio e incluso cercaron la ciudad, utilizando como base de operaciones la vieja e imponente Sacsahuaman, la fortaleza tutora del Cuzco, hoy destruida. Corría el año 1536.

La revuelta en gran escala fracasó, el cerco del Cuzco hubo de ser levantado y otra importante batalla en Ollantaitambo, ciudad amurallada a orillas del Urubamba, fue perdida por las huestes del monarca indígena. Este se redujo definitivamente a una guerra de guerrillas que molestó considerablemente el poderío español. Un día de borrachera, un soldado conquistador, desertor, acogido con seis compañeros más en el seno de la corte indígena, asesinó al soberano, recibiendo, junto con sus desafortunados compinches, una muerte horrible a manos de los indignados súbditos que expusieron las cercenadas cabezas en las puntas de lanzas como castigo y reto. Los tres hijos del soberano, Sairy Túpac, Tito Cusi y Túpac Amaru, uno a uno fueron reinando y muriendo en el poder. Pero con el tercero murió algo más que un monarca: se asistió al derrumbe definitivo del imperio incaico.

El efectivo e inflexible Virrey Francisco Toledo tomó preso al último soberano y lo hizo ajusticiar en la plaza de armas del Cuzco, en 1572. El inca, cuya vida de confinamiento en el templo de las vírgenes del sol, tras un breve paréntesis de reinado, acababa tan trágicamente, dedicó a su pueblo, en la hora postrera, una viril alocución que lo rehabilita de pasadas flaquezas y permite que su nombre sea tomado como apelativo por el precursor de la independencia americana, José Gabriel Condorcanqui: Túpac Amaru II.

El peligro había cesado para los representantes de la corona española y a nadie se le ocurrió buscar la base de operaciones, la tan bien guardada ciudad de Vilcapampa, cuyo último soberano la abandonó antes de ser apresado, iniciándose entonces un paréntesis de tres siglos en que el más absoluto silencio reina en torno al poblado.

El Perú seguía siendo una tierra virgen de plantas europeas en muchas partes de su territorio, cuando un hombre de ciencia italiano, Antonio Raimondi, dedicó 19 años de su vida, en la segunda mitad del siglo pasado, a recorrerlo en todas direcciones. Si bien es cierto que Raimondi no era arqueólogo profesional, su profunda erudición y capacidad científica, dieron al estudio del pasado incaico un impulso enorme. Generaciones de estudiantes peruanos tornaron sus ojos al corazón de una patria que no conocían, guiados por la monumental obra *El Perú*, y hombres de ciencia de todo el mundo sintieron reavivar el entusiasmo por la investigación del pasado de una raza otrora grandiosa.

A principios de este siglo un historiador norteamericano, el profesor Bingham, llegó hasta tierras peruanas, estudiando en el terreno itinerarios seguidos por Bolívar, cuando quedó sojuzgado por la extraordinaria belleza de las regiones visitadas y tentado por el incitante problema de la cultura incaica. El profesor Bingham, satisfaciendo al historiador y al aventurero que en él habitaban, se dedicó a buscar la perdida ciudad, base de operaciones de los cuatro monarcas insurgentes.

Sabía Bingham, por la crónicas del padre Calancha y otras, que los incas tuvieron una capital militar y política a la que llamaron Vitcos y un santuario más lejano, Vilcapampa, la ciudad que ningún blanco había hollado y, con estos datos, inició la búsqueda.

Para quien conozca, aunque sea superficialmente la región, no escapará la magnitud de la tarea emprendida. En zonas montañosas, cubiertas de intrincados bosques subtropicales, surcadas por ríos que son torrentes peligrosísimos, desconociendo la lengua y hasta la psicología de los habitantes, entró Bingham con tres armas poderosas: un inquebrantable afán de aventuras, una profunda intuición y un buen puñado de dólares.

Con paciencia, comprando cada secreto o información a precio de oro, fue penetrando en el seno de la extinguida civilización y, un día, en 1911, tras años de ardua labor, siguiendo, rutinariamente a un indio que vendía un nuevo conglomerado de piedras, Bingham, él solo, sin compañía de hombre blanco alguno, se extasió ante las imponentes ruinas que, rodeadas de malezas, casi tapadas por ellas, le daban la bienvenida.

Aquí hay una parte triste. Todas las ruinas quedaron limpias de malezas, perfectamente estudiadas y descriptas y... totalmente despojadas de cuanto objeto cayera en manos de los investigadores, que llevaron triunfalmente a su país más de doscientos cajones conteniendo inapreciables tesoros arqueológicos y también, por qué no decirlo, importante valor monetario. Bingham no es el culpable; objetivamente hablando, los norteamericanos en general, tampoco son culpables; un gobierno imposibilitado económicamente para hacer una expedición de la categoría de la que dirigió el descubridor de Machu-Picchu, tampoco es culpable. ¿No los hay entonces? Aceptémoslo, pero, ¿dónde se puede admirar o estudiar los tesoros de la ciudad indígena? La respuesta es obvia: en los museos norteamericanos.

Machu-Picchu no fue para Bingham un descubrimiento cualquiera, significó el triunfo, la coronación de sus sueños límpidos de niño grande —que eso son casi todos los aficionados a este tipo de ciencias. Un largo itinerario de triunfos y fracasos coronaba allí y la ciudad de piedra gris llevaba sus ensueños y vigilias, impeliéndole a comparaciones y conjeturas a veces alejadas de las demostraciones experimentales. Los años de búsqueda y los posteriores al triunfo convirtieron al historiador viajero en un erudito arqueólogo y muchas de sus aseveraciones cayeron con incontrastable fuerza en los medios científicos, respaldadas por la experiencia formidable que había recogido en sus viajes.

En opinión de Bingham, Machu-Picchu fue la primitiva morada de la raza quechua y centro de expansión, antes de fundar el Cuzco. Se interna en la mitología incaica e identifica tres ventanas de un derruido templo con aquellas de donde salieron los hermanos Ayllus, míticos personajes del incario; encuentra similitudes concluyentes entre un torreón circular de la ciudad descubierta y el templo del sol de Cuzco; identifica los esqueletos, casi todos femeninos, hallados en las ruinas, con los de las vírgenes del sol; en fin, analizando concienzudamente todas las posibilidades, llega a la siguiente conclusión: la ciudad descubierta fue llamada, hace más de tres siglos, Vilcapampa, santuario de los monarcas insurgentes y, anteriormente, constituyó el refugio de las vencidas huestes del inca Pachacuti cuyo cadáver guardaron en la ciudad, luego de ser derrotados por las tropas chinchas, hasta el resurgimiento del imperio. Pero el refugio de los guerreros vencidos, en ambos casos, se produce por ser esta Tampu-Toco, el núcleo inicial, el recinto sagrado, cuyo lugar de emplazamiento sería éste y no Pacaru Tampu, cercano a Cuzco, como le dijeran al historiador Sarmiento de Gamboa, los notables indios que interrogara por orden del Virrey Toledo.

Los investigadores modernos no están muy de acuerdo con el arqueólogo norteamericano, pero no se expiden sobre la definitiva significación de Machu-Picchu.

Tras varias horas de tren, un tren asmático, casi de juguete, que bordea al principio un pequeño torrente para seguir luego las márgenes del Urubamba pasando ruinas de la imponencia de Ollantaitambo, se llega al puente que cruza el río. Un serpeante camino cuyos 8 kilómetros de recorrido se eleva a 400 m sobre el nivel del torrente, nos lleva hasta el hotel de las ruinas, regentado por el señor Soto, hombre de extraordinaria erudición en cuestiones incaicas y un buen cantor que contribuye, en las deliciosas noches del trópico, a aumentar el sugestivo encanto de la ciudad derruida.

Machu-Picchu se encuentra edificada sobre la cima del cerro, abarcando una extensión de 2 km de perímetro. En general, se la divide en tres secciones: la de los templos, la de las residencias principales, la de la gente común.

En la sección dedicada al culto, se encuentran las ruinas de un magnífico templo formado por grandes bloques de granito blanco, el que tiene las tres ventanas que sirvieran para la especulación mitológica de Bingham. Coronando una serie de edificios de alta calidad de ejecución, se encuentra el Intiwatana, el lugar donde se amarra el sol, un dedo de piedra de unos 60 cm de altura, base del rito indígena y uno de los pocos que quedan en pie, ya que los españoles tenían buen cuidado de romper este símbolo apenas conquistaban una fortaleza incaica.

Los edificios de la nobleza tienen muestras de extraordinario valor artístico, como el torreón circular ya nombrado, la serie de puentes y canales tallados en la piedra y muchas residencias notables por la ejecución y el tallado de las piedras que la forman.

En las viviendas presumiblemente dedicadas a la plebe, se nota una gran diferencia por la falta de esmero en el pulido de las rocas. Las separa de la zona religiosa una pequeña plaza o lugar plano, donde se encuentran los principales reservorios de agua, secos ya, siendo esta una de las razones, supuestas dominantes, para el abandono del lugar como residencia permanente.

Machu-Picchu es una ciudad de escalinatas; casi todas las construcciones se hallan a niveles diferentes, unidas unas a otras por escaleras, algunas de roca primorosamente tallada, otras de piedras alineadas sin mayor afán estético, pero todas capaces de resistir las inclemencias climáticas, como la ciudad entera, que sólo ha perdido los techos de paja y tronco, demasiado endebles para luchar contra los elementos.

Las necesidades alimenticias podían ser satisfechas por los vegetales cosechados mediante el cultivo en andenes, que todavía se conservan perfectamente.

Su defensa era muy fácil debido a que dos de sus lados están formados por laderas casi a pique, el tercero es una angosta garganta franqueable sólo por senderos fácilmente defendibles, mientras el cuarto da la Huainca-Picchu. Este es un pico que se eleva unos 200 m sobre el nivel de su hermano, difícil de escalar, casi imposible para el turista, si no quedaran los restos de la calzada incaica que permiten llegar a su cima bordeando precipicios cortados a pique. El lugar parece ser más de observación que otra cosa, ya que no hay grandes construcciones. El Urubamba contornea casi completamente los dos cerros haciendo su toma prácticamente imposible para una fuerza atacante.

Ya dijimos que está en controversia la significación arqueológica de Machu-Picchu, pero, poco importa cuál fuera el origen primitivo de la ciudad o, de todas maneras, es bueno dejar su discusión para los especialistas. Lo cierto, lo importante es que nos encontramos aquí frente a una pura expresión de la civilización indígena más poderosa de América, inmaculada por el contacto de las huestes vencedoras y plena de inmensos tesoros de evocación entre sus muros muertos o en el paisaje estupendo que lo circunda y le da el marco necesario para extasiar al soñador, que vaga porque sí entre sus ruinas, o al turista yanqui que cargado de practicidad, encaja los exponentes de la tribu degenerada, que puede ver en el viaje, entre los muros otrora vivos, y desconoce la distancia moral que los separa, porque éstos son sutilezas que sólo el espíritu semindígena del latinoamericano puede apreciar.

Conformémonos, por ahora, con darle a la ciudad los dos significados posibles: para el luchador que persigue lo que hoy se llama quimera, el de un brazo extendido hacia el futuro cuya voz de piedra grita con alcance continental: "ciudadanos de Indoamérica, reconquistad el pasado"; para otros, aquellos que simplemente "huyen del mundanal ruido", es válida una frase anotada en el libro de visitantes que tiene el hotel y que un súbdito inglés dejó estampada con toda la amargura de su añoranza imperial: "I am lucky to find a place without a Coca-cola propaganda."

Carta a la madre

Vieja, la mi vieja:[1]

No creas que el encabezamiento es para contentar al viejo, hay indicios de que se mejora algo y las perspectivas no son tan desesperadas en cuanto al panorama económico. La tragedia pesística la cuento porque es la verdad y presumía que el viejo me consideraba lo suficiente choma[2] como para aguantar lo que caiga, ahora, si prefieren cuentos de hadas, hago algunos muy bonitos. En los días de silencio mi vida se desarrolló así: fui con una mochila y un portafolio, medio a pata, medio a dedo, medio (vergüenza) pagando amparado por 10 dólares que el propio gobierno me había dado. Llegué al Salvador y la policía me secuestró algunos libros que traía de Guatemala pero pasé, conseguí la visa para entrar de nuevo a este país, y ahora correcta, y me largué a conocer unas ruinas de los pipiles que son una raza de los tlascaltecas que se largaron a conquistar el sur (el centro de ellos estaba en México) y aquí se quedaron hasta la venida de los españoles. No tienen nada que hacer con las construcciones mayas y menos con las incaicas. Después me fui a pasar unos días de playa mientras esperaba la resolución sobre mi visa que había pedido para ir a visitar unas ruinas hondureñas, que sí son espléndidas. Dormí en la bolsa que tengo, a orillas del mar, y aquí sí mi régimen no fue de lo más estricto, pero esa vida tan sana me mantuvo perfecto, salvo las ampollas del sol. Me hice amigo de algunos chochamu[3] que como en toda Centroamérica caminan a alcohol, y aprovechando la extroversión del alcohol me les mandé mi propagandita guatemaltequeante y recité algunos versitos de profundo color colorado. El resultado fue que aparecimos todos en la capacha,[4] pero nos soltaron enseguida, previo consejo de

[1] *Esta carta podría ser de fines de abril de 1954.*

[2] Macho *al revés.*

[3] Muchacho *al revés.*

[4] *Comisaría, cárcel, puesto policial.*

un comandante con apariencia de gente, para que cantara a las rosas de la tarde y otras bellezas. Yo preferí hacerle un soneto al humo.[1] Los hondureños me negaron la visa por el solo hecho de tener residencia en Guatemala, aunque demás está decirte que tenía mi sana intención de otear una huelga que se ha desatado allí y que mantiene parada el 25% de la población total trabajadora, cifra alta en cualquier lado pero extraordinaria en un país donde no hay derecho a huelgas y los sindicatos son clandestinos. La frutera está que brama y, por supuesto, Dulles y Cía. quieren intervenir en Guatemala por el terrible delito de comprar armas donde se les vendieran, ya que Estados Unidos no vende ni un cartucho desde hace mucho tiempo. [...]

[1] *Hacerse humo: desaparecer (argentinismo).*

Por supuesto, ni consideré la posibilidad de quedarme allí. De vuelta me largué por rutas medio abandonadas y con la cartera tecleando, porque aquí un dólar es poco más de un mango y con 20 no se hacen maravillas. Algún día caminé cerca de 50 kilómetros (serán mentiras pero es mucho) y después de muchos días caí al hospital de la frutera donde hay unas ruinas chicas pero muy bonitas. Aquí ya quedé totalmente convencido de lo que mi americanismo no quería convencerse: nuestros papis son asiáticos (contále al viejo que pronto van a exigir su patria potestad). Hay unas figuras en bajorrelieve que son Buda en persona y, todas las características lo demuestran, perfectamente iguales a las de antiguas civilizaciones indostánicas. El lugar es precioso, tanto que hice contra mi estómago el crimen de Silvestre Bonard y me gasté un dólar y pico en comprar rollos y alquilarme una máquina.[2] Después mendigué una morfada en el hospital, pero no pude llenar la joroba sino hasta la mitad de su contenido. Quedé sin plata para poder llegar por ferrocarril a Guatemala, de modo que me tiré al Puerto Barrios y allí laburé en la descarga de toneles de alquitrán, ganando 2,63 por doce horas de laburo pesado como la gran siete, en un lugar donde hay mosquitos en picada en cantidades fabulosas. Quedé con las manos a la miseria y el lomo peor, pero te confieso que bastante contento. Trabajaba de seis de la tarde a seis de la mañana y dormía en una casa abandonada a orillas del mar. Después me tiré a Guatemala y aquí estoy con perspectivas mejores. [...]

[2] *Se refiere a una cámara fotográfica.*

...(la redacción no es estrafalarismo pensado, sino la consecuencia de cuatro cubanos que discuten al lado mío). [...]

La próxima, más tranquilo, te mando nuevas si las hay... Un abrazo para todos.

Carta a la madre

Abril de 1954

Vieja:

Como ves no me fui al Petén. El hijo de puta del que debía contratarme me hizo esperar un mes, para después hacerme decir que no podía hacerlo [...]

Yo ya le había presentado una lista de medicamentos, instrumental y todo lo demás y me había puesto tanque[1] en el diagnóstico de las enfermedades tropicales más abundantes de la zona. Naturalmente que esto me sirve igual, máxime ahora que tengo oportunidad de trabajar en la compañía frutera en una zona bananera.

[1] *Ponerse fuerte.*

Lo que no quiero dejar de hacer es de visitar las ruinas del Petén. Allá hay una ciudad, Tical, que es una maravilla, y otra, Piedras Negras, mucho menos importante pero en donde el arte de los mayas alcanzó un nivel extraordinario. En el museo de aquí hay un dintel que está todo escoñado, pero es una verdadera obra de arte en cualquier lugar del mundo.

A mis viejos amigos peruanos les faltaba la sensibilidad tropical, de modo que no podían hacer nada parecido, además de no tener la piedra calcárea tan fácil de trabajar que tienen los de esta zona. [...]

Yo cada vez más contento de haber salido. Mi cultura médica no se agiganta y mientras voy asimilando otra serie de conocimientos que interesan mucho más que aquéllos.[...]

Tengo, eso sí, ganas de hacerles una visita, pero no tengo idea cuándo ni cómo. Hablar de planes en mi situación es contarles un sueño hilvanado; de todas maneras si -condición expresa- consigo el puesto en la frutera, pienso dedicarme a levantar las deudas que tengo aquí, las que dejé allí, comprarme la máquina fotográfica, visitar el Petén y tomármelas olímpicamente para el norte, es decir México. [...]

Me alegro que tengas tan elevada opinión de mí. De todas maneras es muy difícil que la antropología sea mi ocupación exclusiva de la madurez. Me pare[1] un poco paradójico de hacer como "norte" de mi vida investigar lo que está muerto sin remedio. De dos cosas estoy seguro: la primera es que si llego a la etapa auténticamente creadora alrededor de los treinta y cinco años mi ocupación excluyente, o principal por lo menos, será la física nuclear, la genética o una materia así que reúna de lo más interesante de las materias conocidas, la segunda es que América será el teatro de mis aventuras con carácter mucho más importante que lo que hubiera creído: realmente creo haber llegado a comprenderla y me siento americano con un carácter distintivo de cualquier otro pueblo de la tierra. Naturalmente que visitaré el resto del mundo [...]

De mi vida diaria poco te puedo contar que te interese. Por la mañana voy a sanidad y trabajo unas horas en el laboratorio, por las tardes voy a una biblioteca o museo a estudiar algo de acá, por las noches leo algo de medicina o de cualquier otra cosa, escribo alguna carta, en fin, tareas domésticas. Tomo mate cuando hay y desarrollo unas interminables discusiones con la compañera Hilda Gadea, una muchacha aprista a quien yo con mi característica suavidad trato de convencerla de que largue ese partido de mierda. Tiene un corazón de platino lo menos. Su ayuda se siente en todos los actos de mi vida diarios (empezando por la pensión).

[1] *Contracción de* me parece.

10 de mayo de 1954

Vieja:

[...]

Además de mirar el porvenir con gusto a asado, mi residencia va para adelante aunque con toda la pachorra propia de estas tierras, y supongo que dentro de un mes podré ir al cine sin estar acoplado a ningún bondadoso vecino. Tengo prometido algo que ya creo le conté al viejo, y también le conté mis proyectos muy a la ligera. El 15 he resuelto dejar esta pensión y tirarme a campo libre con una bolsa de dormir que heredé de un compatriota que pasó por estos lugares. De esta manera podré conocer todos los lugares que quiera, salvo el Petén adonde no se puede ir así porque es la estación de las lluvias, y podré escalarme algún volcán, ya que hace mucho tiempo que tengo ganas de verle las amígdalas a la madre tierra (qué figura bonita). Esta es la tierra de los volcanes, y los hay para todos los gustos, mis gustos son sencillos, ni muy elevados ni muy activos. En Guatemala podría hacerme muy rico, pero con el rastrero procedimiento de revalidar el título, poner una clínica y dedicarme a la alergia (aquí está lleno de colegas del fuelle). Hacer eso sería la más horrible traición a los dos yos que se me pelean dentro, el socialudo y el viajero. [...]

Abrazos cálidos y mojados porque aquí llueve todo el día (mientras queda mate, muy romántico).

Carta a la madre

20 de junio de 1954

Querida vieja:

Esta carta te llegará un poco después de tu cumpleaños, que tal vez pases un poco intranquila con respecto a mí. Te diré que si por el momento no hay nada que temer, no se puede decir lo mismo del futuro, aunque personalmente yo tengo la sensación de ser inviolable (inviolable no es la palabra pero tal vez el subconsciente me jugó una mala pasada). La situación someramente pintada es así: hace unos 5 ó 6 días voló por primera vez sobre Guatemala un avión pirata proveniente de Honduras, pero sin hacer nada.

Al día siguiente y en los días sucesivos bombardearon diversas instalaciones militares del territorio y hace dos días un avión ametralló los barrios bajos de la ciudad matando una chica de dos años. El incidente ha servido para aunar a todos los guatemaltecos debajo de su gobierno y a todos los que, como yo, vinieron atraídos por Guatemala. Simultáneamente con esto, tropas mercenarias, acaudilladas por un ex coronel del ejército, destituido por traición hace tiempo, salieron de Tegucigalpa, la capital de Honduras, de donde fueron transportadas hasta la frontera y ya se han internado bastante en territorio guatemalteco. El gobierno, procediendo con gran cautela para evitar que Estados Unidos declarara agresora a Guatemala, se ha limitado a protestar ante Tegucigalpa y enviar el total de los antecedentes al Consejo de Seguridad de las Naciones Unidas, dejando entrar las fuerzas atacantes lo suficiente para que no hubiera lugar a los pretendidos incidentes fronterizos. El coronel Arbenz es un tipo de agallas, sin lugar a dudas, y está dispuesto a morir en su puesto si es necesario. Su discurso último no hizo más que reafirmar esto que todos sabíamos y traer tranquilidad. El peligro no está en el total de las tropas que han entrado actualmente al territorio pues esto es ínfimo, ni en los aviones que no hacen más que bombardear casas de civiles y ametrallar algunos: el peligro está en cómo manejen los gringos (aquí los yanquis) a sus nenitos de las Naciones Unidas, ya que una declaración, aunque no sea más que vaga, ayudaría mucho a los atacantes. Los yanquis han dejado definitivamente la careta de buenos que les había puesto Roosevelt y están haciendo tropelías y media por estos lados. Si las cosas llegan al extremo de tener que pelear contra aviones y tropas modernas que mande la frutera o los EE.UU., se peleará. El espíritu del pueblo es muy bueno y los ataques tan desvergonzados sumados a las mentiras de la prensa internacional han aunado a todos los indiferentes con el gobierno, y hay un verdadero clima de pelea. Yo ya estoy apuntado para hacer servicio de socorro médico de urgencia y me apunté en las brigadas juveniles para recibir instrucción militar e ir a lo que sea. No creo que llegue el agua al río, pero eso se verá después de la reunión del Consejo de Seguridad que creo se hará mañana. De todos modos al llegar esta carta ya sabrán a qué atenerse en este punto.

Por lo demás no hay mayores novedades. Como estos días la embajada Argentina no funcionó, no he tenido noticias frescas después de una carta de Beatriz y otra tuya la semana pasada.

El puesto en Sanidad dicen que me lo van a dar de un momento a otro, pero también estuvieron las oficinas muy ocupadas con todos los líos de modo que me pareció un poco imprudente ir a jeringar con el puestito cuando están con cosas mucho más importantes.

Bueno, vieja, que lo hayas cumplido lo más feliz posible después de este accidentado año, en cuanto pueda mando noticias.

Chau

Carta a la madre

4 de julio de 1954

Vieja:

Todo ha pasado como un sueño lindo que uno no se empeña luego en seguir despierto. La realidad está tocando muchas puertas y ya comienzan a sonar las descargas que premian la adhesión más encendida al antiguo régimen. La traición sigue siendo patrimonio del ejército, y una vez más se prueba el aforismo que indica la liquidación del ejército como el verdadero principio de la democracia (si el aforismo no existe, lo creo yo) [...].

La verdad cruda es que Arbenz no supo estar a la altura de las circunstancias.

Así se produjo todo:

Después de iniciar la agresión desde Honduras y sin previa declaración de guerra ni nada por el estilo (todavía protestando por supuestas violaciones de fronteras) los aviones vinieron a bombardear la ciudad. Estábamos completamente indefensos, ya que no había aviones, ni artillería antiaérea, ni refugios. Hubo algunos muertos, pocos. El pánico, sin embargo, entró en el pueblo y sobre todo en "el valiente y leal ejército de Guatemala" una misión militar norteamericana entrevistó al presidente y le amenazó con bombardear en forma a Guatemala y reducirla a ruinas, y la declaración de guerra de Honduras y Nicaragua que Estados Unidos haría suya por existir pactos de ayuda mutua. Los militares se cagaron hasta las patas y pusieron un ultimátum a Arbenz.

Este no pensó en que la ciudad estaba llena de reaccionarios y que las casas que se perdieron serían las de ellos y no del pueblo, que no tiene nada y que era el que defendía al gobierno. No pensó que un pueblo en armas es un poder invencible a pesar del ejemplo de Corea e Indochina. Pudo haber dado armas al pueblo y no quiso, y el resultado es éste.

Yo ya tenía mi puestito pero lo perdí inmediatamente, de modo que estoy como al principio, pero sin deudas, porque decidí cancelarlas por razones de fuerza mayor. Vivo cómodamente en razón de algún buen amigo que devolvió favores y no necesito nada. De mi vida futura nada sé, salvo que es probable que vaya a México. Con un poco de vergüenza te comunico que me divertí como mono durante estos días. Esa sensación mágica de invulnerabilidad que te decía en otra carta me hacía relamer de gusto cuando veía la gente correr como loca apenas venían los aviones o, en la noche, cuando en los apagones se llenaba la ciudad de balazos. De paso te diré que los bombarderos livianos tienen su imponencia. Vi a uno largarse sobre un blanco relativamente cercano a donde yo estaba y se veía el aparato que se agrandaba por momentos mientras de las alas le salían con intermitencias lengüitas de fuego y sonaba el ruido de su metralla y de las ametralladoras livianas con que le tiraban. De pronto quedaba un momento suspendido en el aire, horizontal, y enseguida daba un pique velocísimo y se sentía el retumbar de la tierra por la bomba. Ahora pasó todo eso y sólo se oyen los cohetes de los reaccionarios que salen de la tierra como hormigas a festejar el triunfo y tratar de linchar comunistas como llaman ellos a todos los del gobierno anterior. Las embajadas están llenas hasta el tope, y la nuestra junto con la de México son las peores. Se hace mucho deporte con todo esto pero es evidente que a los pocos gordos se la iban a dar con queso.

Si querés tener una idea de la orientación de este gobierno, te daré un par de datos: uno de los primeros pueblos que tomaron los invasores fue una propiedad de la frutera donde los empleados estaban en huelga. Al llegar declararon inmediatamente acabada la huelga, llevaron a los líderes al cementerio y los mataron arrojándoles granadas en el pecho. Una noche salió de la catedral una luz de bengala cuando la ciudad estaba a oscuras y el avión volando. La primera acción de gracias la dio el obispo; la segunda, Foster Dulles, que es abogado de la frutera. Hoy, 4 de julio, hay una solemne misa con todo el aparato escénico, y todos los diarios felicitan al gobierno de Estados Unidos por su fecha en términos estrambóticos.

Vieja, veré cómo te mando estas cartas, porque si las mando por correo me cortan los nervios (el presidente dijo –creer es cuestión tuya– que éste era un país con los nervios bien puestos). Un gran abrazo para todos.

Carta a su tía Beatriz

Julio 22 de 1954

Querida Beatriz:

[...]

Aquí todo estuvo muy divertido con tiros, bombardeos, discursos y otros matices que cortaron la monotonía en que vivía [...]

Yo partiré dentro de algunos días, no sé cuántos, para México, donde pienso hacerme una fortuna vendiendo ballenitas para el cuello [...]

De todas maneras estaré atento para ir a la próxima que se arme, ya que armarse se arma seguro, porque los yanquis no se pueden pasar sin defender la democracia en algún lado [...]

Fuertes abrazos del sobrino aventurero.

Carta a la madre

7 de agosto de 1954

Querida vieja:[1]

[...]

De mi vida en Guatemala ya nada hay que contar pues su ritmo es el de cualquier colonia dictatorial de los yanquis. Aquí solucioné mis asuntos y me rajo a México [...].

[1] *Esta carta y la siguiente aparecen en el original como una sola.*

Carta a los padres

Agosto de 1954

Queridos viejos:

[...]

Yo me asilé en la embajada Argentina, donde me trataron muy bien, pero no figuraba en la lista oficial de asilados, ya toda la tormenta pasó y pienso seguir viaje a México en pocos días, pero, hasta nuevo aviso, escriban aquí [...].

Encuentro que me mandaste demasiada ropa y gastaron demasiado en mí, será medio "cursi", pero creo que no me lo merezco (lo cierto es que tampoco hay indicios de que cambie en poco tiempo); la ropa no toda me servirá pues mi último lema es poco equipaje, piernas fuertes y estómago de faquir también. A la cuadrilla de Guatemala me le dan un cordial abrazo, y les recomiendo que traten lo mejor posible a la muchachada que les caerá por allí.

Cuando todo esto se serene y las cosas tomen otro ritmo les escribiré en forma más concisa. Para todos Uds., con abrazos del primogénito, pedido de que disculpen los sustos y se olviden de mí, que lo que viene siempre es caído del cielo, en América nadie se muere de hambre y sospecho que en Europa tampoco.

Chau, Ernesto.

Carta a su amiga Tita Infante

Guatemala, agosto de 1954

Querida Tita:

No sé cuándo recibirá esta carta y tampoco si la recibirá, ya que está condicionado todo al rumbo definitivo del portador. Por eso no le hago aquí ningún cuento de cómo sucedieron las cosas, solamente era mi objeto presentarle al portador [...], estudiante de medicina que eligió la Argentina como patria mientras dure su exilio de Guatemala. El portador perteneció a uno de los partidos burgueses que colaboró lealmente con Arbenz hasta su caída y se preocupó por la suerte de los argentinos semiexiliados que andábamos por estas tierras. Por todo ello me gustaría que ayudara con su consejo y en lo que fuera menester al amigo [...], que estará con la lógica desorientación de quien va por primera vez a las pampas a correr la liebre.

De mí no le cuento nada porque es fácil que le escriba antes de que esta presentación llegue a sus manos. Por las dudas, le diré que continúo mi voluntario exilio con rumbo a México, de donde trataré de dar el gran salto a Europa y, si es posible, China.

Hasta que se materialice en algún lugar del mundo, reciba siempre el cariñoso y epistolar abrazo de su amigo.

Ernesto

El dilema de Guatemala

por Ernesto Guevara de la Serna

Quien haya recorrido estas tierras de América habrá escuchado las palabras desdeñosas que algunas personas lanzaban sobre ciertos regímenes de clara inspiración democrática. Arranca de la época de la República Española y su caída. De ella dijeron que estaba constituida por un montón de vagos que sólo sabían bailar la jota, y que Franco puso orden y desterró el comunismo de España. Después, el tiempo pulió opiniones y uniformó criterios y la frase hecha con que se lapidaba una fenecida democracia era más o menos: "allí no había libertad, había libertinaje". Así se definía a los gobiernos que en Perú, Venezuela y Cuba habían dado a América el sueño de una nueva era. El precio que los grupos democráticos de esos países tuvieron que pagar por el aprendizaje de las técnicas de la opresión ha sido elevado. Cantidad de víctimas inocentes han sido inmoladas para mantener un orden de cosas necesario a los intereses de la burguesía feudal y de los capitales extranjeros, y los patriotas saben ahora que la victoria será conquistada a sangre y fuego y que no puede haber perdón para los traidores; que el exterminio total de los grupos reaccionarios es lo único que puede asegurar el imperio de la justicia en América.

Cuando oí nuevamente la palabra "libertinaje" usada para calificar a Guatemala sentí temor por esta pequeña república. ¿Es que la resurrección del sueño de los latinoamericanos, encarnado en este país y en Bolivia, estará condenado a seguir el camino de sus antecesores? Aquí se plantea el dilema.

Cuatro partidos revolucionarios forman la base en que se apoya el gobierno, y todos ellos, salvo el P.G.T., están divididos en dos o más fracciones antagónicas que disputan entre sí con más saña que con los tradicionales enemigos feudales, olvidando en rencillas domésticas el norte de los guatemaltecos. Mientras tanto la reacción tiende sus redes. El Departamento de Estado de los EE.UU. o la United Fruit Company, que nunca se puede saber quién es uno y otro en el país del norte –en franca alianza con los terratenientes y la burguesía timorata y chupacirios– hacen planes de toda índole para reducir a silencio al altivo adversario que surgió como un grano en el seno del Caribe. Mientras Caracas espera las ponencias que den cauce a las intromisiones más o menos descaradas, los generalitos desplazados y los cafetaleros temerosos buscan alianza con los siniestros dictadores vecinos.

Mientras la prensa de los países aledaños, totalmente amordazada, sólo puede tañir loas al "líder" en la única nota permitida, aquí los periódicos titulados "independientes" desencadenan una burda tempestad de patrañas sobre el gobierno y sus defensores, creando el clima buscado. Y la democracia lo permite.

La "cabecera de playa comunista", dando un magnífico ejemplo de libertad e ingenuidad, permite que se socaven sus cimientos nacionalistas; permite que se destroce otro sueño de América.

Miren un poco hacia el pasado inmediato, compañeros, observen a los líderes prófugos, muertos o prisioneros del APRA del Perú; de Acción Democrática de Venezuela; a la magnífica muchachada cubana asesinada por Batista. Asómense a los veinte orificios que ostenta el cuerpo del poeta soldado, Ruiz Pineda; a las miasmas de las cárceles venezolana. Miren, sin miedo pero con cautela, el pasado ejemplarizante y contesten, ¿es ése el porvenir de Guatemala?

¿Para eso se ha luchado y se lucha? La responsabilidad histórica de los hombres que realizan las esperanzas de Latinoamérica es grande. Es hora de que se supriman los eufemismos. Es hora de que el garrote conteste al garrote, y si hay que morir, que sea como Sandino y no como Azaña. Pero que los fusiles alevosos no sean empuñados por manos guatemaltecas. Si quieren matar la libertad que lo hagan ellos, los que la esconden. Es necesario no tener blandura, no perdonar traiciones. No sea que la sangre de un traidor que no se derrame cueste la de miles de bravos defensores del pueblo. La vieja disyuntiva de Hamlet suena en mis labios a través de un poeta de América – Guatemala: "¿Eres o no eres, o quién eres?" Los grupos que apoyan al gobierno tienen la palabra.

[fines de 1954]

Carta a la madre

Vieja, la mi vieja
(te confundí con la fecha)

[...]

Hasta Beatriz ha resuelto aplicar sus represalias y ya no llegan más los telegramas esos que mandaba.

Contarles de mi vida es repetirme, pues no hago nada nuevo. La fotografía sigue dando para vivir y no hay esperanzas demasiado sólidas de que deje eso en poco tiempo, a pesar de que trabajo todas las mañanas en investigación en dos hospitales de aquí. Yo creo que lo mejor que me podría pasar sería consiguiera una changuita de médico rural de contrabando muy cerca de la capital, lo que me permitiría dedicar con más holgura mi tiempo a la medicina durante algunos meses. Eso lo hago porque me di perfecta cuenta de todo lo que aprendí de alergia con Pisani, recién ahora que me cotejo con gente que ha estudiado en Estados Unidos y no se chupa el dedo en cuanto al saber ortodoxo, y creo que el método de Pisani está muchas leguas por encima de todo esto y quiero ponerme práctico en todas las tretas de sus sistemas para caer parado en donde sea [...].

[...] estoy con un laburo de órdago pues tengo todas las mañanas ocupadas en el hospital, y por las tardes y el domingo me dedico a la fotografía, y por las noches a estudiar un poco. Creo que te conté que estoy en un buen departamento y me hago la comida y todo yo, además de bañarme todos los días gracias al agua caliente a discreción que hay. Como ves, estoy transformado en ese aspecto, en lo demás sigo igual porque la ropa la lavo poco y mal y no me alcanza todavía para pagar lavandera.

La beca es un sueño que abandoné ya y me parece que en este país tan amplio no hay que pedir, se hace y listo el pollo. Vos sabés que siempre he sido partidario de las decisiones drásticas y aquí pagan macanudo, pues todo el mundo es fiaca[1] pero no se oponen a que otros hagan, de modo que tengo el campo libre, aquí o en la campiña donde tal vez vaya. Naturalmente que esto no me hace perder de vista mi norte que es Europa, y a donde pienso ir sea como sea. A EE.UU. no le he perdido ni medio gramo de bronca, pero quiero conocer bien Nueva York por lo menos. No tengo el menor miedo al resultado y sé que saldré exactamente tan antiyanqui como entre (si es que entro).

[1] *Pereza (argentinismo).*

Me alegra que se despierte algo la gente, aunque no sé siguiendo qué directivas lo hacen, de todas maneras la verdad es que Argentina está de lo más insulsa, a pesar de que en términos generales el panorama que se ve desde aquí afuera parece indicar que progresan a pasos notables y que se va a poder defender perfectamente de la crisis que están por desatar los yanquis con el dooping de sus excedentes alimenticios [...].

Los comunistas no tienen el sentido que vos tenés de la amistad, pero entre ellos lo tienen igual o mejor que el que vos tenés. Lo vi bien claro a eso, y en la hecatombe que fue Guatemala después de la caída, donde cada uno atendía sólo el sálvese quien pueda, los comunistas mantuvieron intacta su fe y su compañerismo y es el único grupo que siguió trabajando allí.

Creo que son dignos de respeto y que tarde o temprano entraré en el Partido, lo que me impide hacerlo más que todo, por ahora, es que tengo unas ganas bárbaras de viajar por Europa y no podría hacer eso sometido a una disciplina rígida.

Vieja, hasta París.

Carta a la madre

Vieja, la mi vieja:

Es cierto, estoy bastante haragán para escribir pero el culpable fue, como siempre, Don Dinero. Al parecer, el fin del desdichado año económico 54, que me trató como tu cara, coincide con el fin de mis hambres crónicas; tengo un puesto de redactor en la Agencia Latina donde gano 700 pesos mexicanos, es decir un equivalente a 700 de allí, lo que me da la base económica para subsistir, teniendo, además, la ventaja de que sólo me ocupa tres horas tres veces por semana. Esto me permite dedicar las mañanas íntegras al hospital donde estoy haciendo roncha con el método de Pisani. [...].

Sigo en la fotografía pero dedicándome a cosas más importantes como "estudios" y algunas cositas raras que salen por estos lados. El sobresueldo es poco, pero espero redondear los mil este dichoso mes de diciembre, y si la suerte me ayuda pondremos una pequeña fotografía al final del año que viene (principio quise decir). Contra lo que pudieras creer, no soy más malo que la mayoría de los fotógrafos y sí el mejor del grupo de compañeros, eso sí, en este grupo no se necesita ser tuerto para la corona.

Mis planes inmediatos contemplan unos seis meses de permanencia en México que me interesa y me gusta mucho, y en ese tiempo pedir como de pasada la visa para conocer bien a los "hijos de la gran potencia", como los llama Arévalo. Si se da, allí estaré, y si no, veré qué se hace en firme. Siempre sin despreciar la ida directa detrás de la cortisona[1] para ver qué pasa también. Como ves, nada nuevo sobre lo anterior.

En el terreno científico estoy con mucho entusiasmo y lo aprovecho porque esto no dura. Estoy haciendo dos traba-

[1] *Se refiere a la Unión Soviética. Ernesto Guevara juega con "detrás de la Cortina de Hierro".*

jos de investigación y tal vez inicie un tercero, todos sobre alergia y, aunque muy lentamente, sigo juntando material para un librito que verá la luz -si la ve- dentro de varios años y que lleva el pretencioso título de "La función del médico en Latinoamérica". Con algo de autoridad puedo hablar sobre el tema ya que, si no conozco mucho de medicina, a Latinoamérica la tengo bien junada.[1] Por supuesto, fuera del plan general de trabajo y de unos tres o cuatro capítulos no hay nada más, pero el tiempo me sobra.

[1] *Bien calada.*

Con respecto a las diferencias de pensar que según vos se acentúan te aseguro que será por poco tiempo. A aquello que tanto le temés se llega por dos caminos: el positivo, de un convencimiento directo, o el negativo a través de un desengaño de todo. Yo llegué por el segundo camino, pero para convencerme inmediatamente de que hay que seguir por el primero. La forma en que los gringos tratan a América (acordáte que gringos son yanquis) me iba provocando una indignación creciente, pero al mismo tiempo estudiaba la teoría del porqué de su acción y la encontraba científica. Después vino Guatemala y todo eso difícil de contar, de ver cómo todo el objeto del entusiasmo de uno se diluía por la voluntad de esos señores y cómo se fraguaba ya el nuevo cuento de la culpabilidad y criminalidad rojas, y cómo los mismos guatemaltecos traidores se prestaban a propagar todo eso para mendigar algo en el nuevo orden de cosas. En qué momento dejé el razonamiento para tener algo así como la fe, no te puedo decir, ni siquiera con aproximación, porque el camino fue bastante larguito y con muchos retrocesos [...]

Carta a la madre

Septiembre 24 de 1955

Querida vieja:

Esta vez mis temores se han cumplido, al parecer, y cayó tu odiado enemigo de tantos años; por aquí la reacción no se hizo esperar: todos los diarios del país y los despachos extranjeros anunciaban llenos de júbilo la caída del tenebroso dictador; los norteamericanos suspiraban aliviados por la suerte de 425 millones de dólares que ahora podrían sacar de la Argentina; el obispo de México se mostraba satisfecho de la caída de Perón, y toda la gente católica y de derecha que yo conocí en este país se mostraba también contenta, mis amigos y yo, no; todos seguimos con natural angustia la suerte del gobierno peronista y las amenazas de la flota de cañonear Buenos Aires. Perón cayó como cae la gente de su estirpe, sin la dignidad póstuma de Vargas, ni la denuncia enérgica de Arbenz que nombró con pelos y señales a los culpables de la agresión.

Aquí, la gente progresista ha definido el proceso argentino como "otro triunfo del dólar, la espada y la cruz".

Yo sé que hoy estarás muy contenta, que respirarás aire de libertad [...]

Hace poco te señalaba en otra carta que los militares no entregan el poder a los civiles si éstos no le garantizan el dominio de casta; hoy por hoy, sólo lo entregarán a un gobierno que surja del partido demócrata, o sea, de alguno de los recién fundados partidos social-cristianos, donde me imagino que estará militando..., futuro diputado a la honorable Cámara de Diputados donde tal vez se siente, con el correr del tiempo..., líder del partido argentinista, a fundarse.

Vos podrás hablar en todos lados lo que te dé la gana con la absoluta impunidad que te garantizará el ser miembro de la clase en el poder, aunque espero por vos que seas la oveja negra del rebaño. Te confieso con toda sinceridad que la caída de Perón me amargó profundamente, no por él, por lo que significa para toda América, pues mal que te pese y a pesar de la claudicación forzosa de los últimos tiempos, Argentina era el paladín de todos los que pensamos que el enemigo está en el norte. Para mí, que viví las amargas horas de Guatemala, aquello fue un calco a distancia, y cuando vi que junto a las noticias leales (es raro llamarlas así) se escuchaba la voz de Córdoba, que teóricamente estaba ocupada, empecé a ver mal la situación, después todo sucedió exactamente igual: el presidente renunciaba, una junta empezaba a negociar pero desde la posición de resistencia; luego eso se acababa, subía un militar con su marinerito al lado, único dato agregado con respecto a Guatemala, y entonces el cardenal Copello hablaba al pueblo lleno de orgullo y calculando cómo iría su negocio bajo la nueva junta; los diarios del mundo entero –de este lado del mundo– lanzaron sus aullidos archiconocidos, la junta se negaba a darle pasaporte a Perón, pero anunciaba libertad para todo el mundo. Gente como vos creerá ver la aurora de un nuevo día; te aseguro que Frondizi ya no la ve, porque en el supuesto caso de que suban los radicales no será él quien lo haga, sino Yadarola, Santander o algún otro que sirva a los intereses yanquis y del clero, amén de los militares. Tal vez en el primer momento no verás la violencia porque se ejercerá en un círculo alejado del tuyo [...].

El Partido Comunista, con el tiempo, será puesto fuera de circulación, y tal vez llegue un día en que hasta papá sienta que se equivocó. Quién sabe qué será mientras tanto de tu hijo andariego. Tal vez haya resuelto sentar sus reales en la tierra natal (única posible) o iniciar una jornada de verdadera lucha [...].

Tal vez alguna bala de esas tan profusas en el Caribe acaben con mi existencia (no es una balandronada, pero tampoco una posibilidad concreta, es que las balas caminan mucho en estos lares), tal vez, simplemente siga de vagabundo el tiempo necesario para acabar una preparación sólida y darme los gustos que me adjudiqué dentro del programa de mi vida, antes de dedicarla seriamente a perseguir mi ideal. Las cosas caminan con una rapidez tremenda y nadie puede predecir dónde ni por qué causa estará al año siguiente.

No sé si han recibido la noticia protocolar de mi casamiento y la llegada del heredero, por carta de Beatriz parece que no. Si no es así, te comunico la nueva oficialmente, para que la repartas entre la gente; me casé con Hilda Gadea y tendremos un hijo dentro de un tiempo. Recibí los diarios de Beatriz, me interesan mucho, quisiera una correspondencia de los de estos días y, sobre todo, semanalmente *Nuestra Palabra.*[1]

[1] *Órgano oficial periodístico del Partido Comunista Argentino.*

Chau

Un beso a toda la familia, Hilda los saluda.

Carta a la madre

México, julio 15 de 1956[1]

[Vieja:

He recibido tu carta, pasabas por el tamiz de una morriña más o menos grande por lo que se ve. Tiene muchos aciertos y muchas cosas que no te conocía.]

No soy Cristo y filántropo, vieja, soy todo lo contrario de un Cristo, y la filantropía me parece cosa de... [ ][2], por las cosas que creo, lucho con todas las armas a mi alcance y trato de dejar tendido al otro, en vez de dejarme clavar en una cruz o en cualquier otro lugar. Con respecto a la huelga de hambre estás totalmente equivocada: dos veces la comenzamos, a la primera soltaron a 21 de los 24 detenidos, a la segunda anunciaron que soltarían a Fidel Castro, el jefe del Movimiento, eso sería mañana, de producirse como lo anunciaron quedaríamos en la cárcel sólo dos personas. No quiero que creas, como insinúa Hilda, que los dos que quedamos somos los sacrificados, somos simplemente los que tienen los papeles en [malas] condiciones y por eso no podemos valernos de los recursos que usaron nuestros compañeros. Mis proyectos son los de salir al país más cercano que me dé asilo, cosa difícil dada la fama interamericana que me han colgado, y allí estar listo para cuando mis servicios sean necesarios. Vuelvo a decirles que es fácil que no pueda escribir en un tiempo más o menos largo.

Lo que [verdaderamente] me aterra es tu falta de comprensión de todo esto y tus consejos sobre la moderación, el egoísmo, etc., es decir las cualidades más execrables que pueda tener un individuo. No sólo no soy moderado sino que trataré de no serlo nunca y cuando reconozca en mí que la llama sagrada ha dejado lugar a una tímida lucecita

[1] *Una copia del original se encuentra en el Archivo Personal, y al cotejarla se hicieron algunas correcciones y ampliaciones señaladas entre corchetes.*

[2] *Palabra ilegible.*

votiva, lo menos que pudiera hacer es ponerme a vomitar sobre mi propia mierda. En cuanto a tu llamado al moderado egoísmo, es decir, al individualismo ramplón y miedoso, a las virtudes de X.X., debo decirte que hice mucho por liquidarlo, no precisamente a ese tipo desconocido, menguado, sino al otro, bohemio, despreocupado del vecino y con el sentimiento de autosuficiencia por la conciencia equivocada o no de mi propia fortaleza. En estos días de cárcel y en los anteriores de entrenamiento, me identifiqué totalmente con los compañeros de causa, me acuerdo de una frase que un día me pareció imbécil o por lo menos extraña, referente a la identificación tan total entre todos los miembros de un cuerpo combatiente, que el concepto yo había desaparecido totalmente para dar lugar al concepto nosotros. Era una moral comunista y naturalmente puede parecer una exageración doctrinaria, pero realmente era (y es) lindo poder sentir esa remoción de nosotros.

(Las manchas no son lágrimas de sangre, sino jugo de tomate.)

Un profundo error tuyo es creer que de la moderación o el "moderado egoísmo" es de donde salen inventos mayúsculos u obras maestras de arte. Para toda obra grande se necesita pasión y para la Revolución se necesita pasión y audacia en grandes dosis, cosas que tenemos como conjunto humano. Otra cosa rara que te noto es la repetida cita de Tata Dios, espero que no vuelvas a tu redil juvenil. También prevengo que la serie de S.O.S que lanzaron no sirve para nada: Petit se cagó, Lezica escurrió el bulto y le dio a Hilda (que fue contra mis órdenes) un sermón sobre las obligaciones del asilado político. Raúl Lynch se portó bien, desde lejos, y Padilla Nervo dijo que eran ministerios distintos. Todos podían ayudar pero a condición de que abjurara de mis ideales, no creo de vos que prefieras un hijo vivo y Barrabás a un hijo muerto en cualquier lugar cumpliendo con lo que él considere su deber. Las [tentativas] de ayuda no hacen más que poner en aprieto a ellos y a mí.

[Pero tenés aciertos (por lo menos para mi manera de ver las cosas) y el mayor de ellos es el asunto del cohete interplanetario; palabra que me gustaría.] Además es cierto que después de [desfacer] entuertos en Cuba me iré a otro lado cualquiera y es cierto también que encerrado en el cuadro de una oficina burocrática o en una clínica de enfermedades alérgicas estaría jodido. Con todo, me parece que ese dolor, dolor de madre que entra en la vejez y que quiere a su hijo vivo, es lo respetable, lo que tengo obligación de atender y lo que además tengo ganas de atender y me gustaría verte no sólo para consolarte, sino para consolarme de mis esporádicas e inconfesables añoranzas.

Vieja, te besa y te promete su presencia si no hay novedad. Tu hijo,

el Che

Carta a la madre

México 15

Querida vieja:

Todavía en tierras mexicanas contesto tus cartas anteriores. Pocas novedades puedo darte de mi vida, pues por ahora sólo hago un poco de gimnasia, leo una barbaridad, particularmente de lo que ya te imaginás, y veo a Hilda algunos fines de semana.

He renunciado a que mi caso se solucione por vías legales, de modo que mi permanencia en México será transitoria, de todas maneras Hilda se va con la chiquita a pasar el fin de año con la familia. Allá estará un mes y después se verá lo que hace. Mi ambición a largo plazo es conocer Europa, y si es posible vivir allí, pero es cada vez más difícil que suceda esto último. Cuando a uno lo toma la enfermedad que yo tengo parece que se va exacerbando y no lo suelta sino en la tumba.

Tenía preparado un proyecto de vida con diez años de vagabundeo, años posteriores de estudio de medicina, y después, si quedaba tiempo, internarme en la gran aventura de la física.

Todo aquello es pasado; lo único que está claro es que los diez años de vagabundeo tienen visos de ser más (salvo que circunstancias imprevistas supriman todo vagabundeo), pero ya será de un tipo totalmente diferente al que soñé y cuando llegue a un nuevo país no será para recorrer tierras, ver museos y ruinas, sino además (porque aquello siempre me interesa) para unirme a la lucha del pueblo.

He leído la última información que llega de la Argentina sobre la negativa de dar personería jurídica a tres nuevos partidos y al despojo de la que tenía el PC. No por esperada esta medida es menos sintomática de todo lo que está ocurriendo en la Argentina de un tiempo a esta parte. Todos sus actos tienen una tendencia tan clara –favorecer a una casta y a una clase– que no puede haber equivocación o confusión. Esa clase es la de los terratenientes criollos aliados con los inversores extranjeros, como siempre.

Si te digo estas cosas más o menos duras es por el "porque te quiero te aporreo". Ahora va un abrazo, uno de los últimos desde tierras mexicanas y en tren de hacer admoniciones, una final: la madre de los Maceo se lamentaba de no tener más hijos para ofrecer a Cuba. Yo no te pido tanto, simplemente que mi precio o el precio de verme no sea algo que esté contra tus convicciones o que te haga arrepentir algún día.

Chau

Carta a la madre

Querida vieja:[1]

Te escribo desde un punto cualquiera de México, donde estoy esperando que se solucionen las cosas. El aire de libertad es, en realidad, el aire del clandestinaje, pero no importa, da un matiz de película de misterio muy interesante.

Mi salud es muy buena y mi optimismo mejor. Con respecto a tus apreciaciones sobre los libertadores veo que poco a poco, casi sin querer, vas perdiendo confianza en ellos.

[Lo del pero firme y la confianza es de las cosas más trágicas que has escrito, pero no te preocupes que no se lo mostraré a nadie. Nada más fíjate lo que dicen los diarios de Egipto, por ejemplo y la "pérdida de confianza de occidente". Es lógico, ellos tienen mucha más confianza en un feudo de su pertenencia que en un país aunque no sea con proyectos de independencia.] El petróleo tampoco será argentino. Las bases que tanto temían que Perón entregara, las entregaron éstos; o por lo menos harán una concesión similar. La libertad de expresión ya es un mito, solo que cambió de mito, antes era el peronista, ahora es el libertador, los diarios que jodan a la calle [*Parece decir así*]. Antes de las elecciones generales habrán ilegalizado al partido comunista y tratarán por todos los medios de neutralizar a Frondizi, que es lo mejor a que pueda aspirar la Argentina. En fin, vieja, el panorama que veo desde aquí es desolador para el pobre movimiento argentino, es decir para la mayoría de la población.

Bueno, tengo poco tiempo para escribir y no tengo ganas de gastarlo en esos temas. Aunque, en realidad, de mi vida propia tengo poco que contar ya que me la paso haciendo ejercicio y leyendo. Creo que después de éstas saldré hecho un tanque en cuestiones económicas aunque me haya olvidado de tomar el pulso y auscultar (esto nunca lo hice bien).

[1] *Probablemente agosto o septiembre de 1956, después de su liberación. Al cotejar con el original se incorpora un párrafo que no aparece en la versión publicada en* Aquí va un soldado...

Mi camino parece diferir paulatina y firmemente de la medicina clínica, pero nunca se aleja tanto como para no echarme mis nostalgias de hospital. Aquello que les contaba del profesorado en fisiología era mentira pero no mucho. Era mentira porque yo nunca pensaba aceptarlo, pero existía la proposición y muchas probabilidades de que me lo dieran, pues estaba mi citación y todo. De todas maneras, ahora sí pertenece al pasado. San Carlos ha hecho una aplicada adquisición.

Del futuro no puedo hablar nada. Escribí seguido y contáme cosas de la familia que son muy refrescantes en estas latitudes.

Vieja, un gran beso de

tu hijo clandestino

Carta a la madre

[Aproximadamente octubre de 1956]

Querida mamá:

Tu pinchurriente hijo, hijo de mala madre por añadidura, no está semi-nada; está como estaba Paul Muni[1] cuando decía lo que decía con una voz patética y se iba alejando en medio de sombras que aumentaban y música *ad-hoc.* Mi profesión actual es la de saltarín, hoy aquí, mañana allí, etc., y a los parientes... no los fui a ver por esa causa (además, te confesaré que me parece que tendría mas afinidad de gustos con una ballena que con un matrimonio burgués dignos empleados de beneméritas instituciones a las que haría desaparecer de la faz de la tierra, si me fuera dado hacerlo. No quiero que creas que es aversión directa, es más bien recelo; ya Lezica demostró que hablamos idiomas diferentes y que no tenemos puntos de contacto). Toda la explicación tan larga del paréntesis te la di porque después de escrita me pareció que vos te imaginarías que estoy en tren de morfa-burgués[2] y por pereza de empezar de nuevo y sacar el párrafo me metí en una explicación kilométrica y que se me antoja poco convincente. Punto y aparte. Hilda irá dentro de un mes a visitar a su familia, en Perú, aprovechando que ya no es delincuente política sino una representante algo descarriada del muy digno y anticomunista partido aprista. Yo, en tren de cambiar el ordenamiento de mis estudios: antes me dedicaba mal que bien a la medicina y el tiempo libre lo dedicaba al estudio en forma informal de San Carlos. La nueva etapa de mi vida exige también el cambio de ordenación; ahora San Carlos es primordial, es el eje, y será por los años que el esferoide me admita en su capa más externa; la medicina es un juego más o menos divertido e intrascendente, salvo en un pequeño aparte al que pienso dedicarle más de un medular estudio, de ésos

[1] *Se refería a la película* Soy un fugitivo, *interpretado por Paul Muni.*

[2] *Comer burgueses.*

que hacen temblar bajo su peso los sótanos de la librería. Como recordarás, y si no lo recordás te lo recuerdo ahora, estaba empeñado en la redacción de un libro sobre la función del médico, etc., del que sólo acabé un par de capítulos que huelen a folletín tipo *Cuerpos y almas,* nada más que mal escrito y demostrando a cada paso una cabal ignorancia del fondo del tema; decidí estudiar. Además, tenía que llegar a una serie de conclusiones que se daban de patadas con mi trayectoria esencialmente aventurera; decidí cumplir primero las funciones principales, arremeter contra el orden de cosas, con la adarga al brazo, todo fantasía, y después, si los molinos no me rompieron el coco, escribir.

A Celia le debo la carta laudatoria que escribiré después de ésta si me alcanza el tiempo. Los demás están en deuda conmigo pues yo tengo la última palabra con todos, aun con Beatriz. A ella decíle que los diarios llegan magníficamente y me dan un panorama muy bueno de todas las bellezas que está haciendo el gobierno. Los recorté cuidadosamente para seguir el ejemplo de mi progenitor; ya que Hilda se encarga de seguir el ejemplo de la progenitora.[1] A todos un beso con todos los aditamentos adecuados y una contestación, negativa o afirmativa, pero contundente, sobre el guatemalteco.

Ahora no queda más que la parte final del discurso, referente al hombrín y que podría titularse: "¿Y ahora qué?" Ahora viene lo bravo, vieja; lo que nunca he rehuido y siempre me ha gustado. El cielo no se ha puesto negro, las constelaciones no se han dislocado ni ha habido inundaciones o huracanes demasiado insolentes; los signos son buenos. Auguran victoria. Pero si se equivocaran, que al fin hasta los dioses se equivocan, creo que podré decir como un poeta que no conocés: "Sólo llevaré bajo tierra la pesadumbre de un canto inconcluso." Para evitar patetismos "pre morten", esta carta saldrá cuando las papas quemen de verdad y entonces sabrás que tu hijo, en un soleado país americano, se puteará a sí mismo por no haber estudiado algo de cirugía para ayudar a un herido y puteará al gobierno mexicano que no lo dejó perfeccionar su ya respetable puntería para voltear muñecos con más soltura. Y la lucha será de espaldas a la pared, como en los himnos, hasta vencer o morir.

Te besa de nuevo, con todo el cariño de una despedida que se resiste a ser total.

Tu hijo.

[1] Yo guardaba artículos periodísticos y mi esposa, cada tanto, hacía una limpieza y los tiraba.

Carta a su amiga Tita Infante

[Aproximadamente noviembre de 1956]

Querida Tita:

Hace tanto tiempo que no le escribo que ya he perdido esa confianza de la comunicación habitual (estoy seguro que usted no entenderá mucho de mi letra, le explicaré todo poco a poco).

Primero, mi indita tiene ya 9 meses, está bastante rica, tiene mucha vida, etc.

Segundo y principal: Hace tiempo, unos muchachos cubanos, revolucionarios, me invitaron a que ayudara al movimiento con mis "conocimientos" médicos y yo acepté porque Ud. debe saber que es el tipo de laburo que me piace. Fui a un rancho en las montañas a dirigir el entrenamiento físico, vacunar las huestes, etc., pero me puse tan salado (cubanería) que la policía arreó con todos, y como yo estaba chueco (mexicanada) en mis papeles me comí 2 meses de cárcel, amén de que me robaron la máquina de escribir, entre otras naderías, lo que provoca esta manuscrita misiva. Después cometió Gobernación el grave error de creer en mi palabra de caballero y me pusieron en libertad para que abandonara el país en 10 días. De esto hace 3 meses y todavía estoy por aquí, aunque escondido y sin horizonte en México. Sólo espero ver qué pasa con la Revolución; si sale bien, voy para Cuba, si sale mal empezaré a buscar país adonde sentar mis reales. Este año puede dar un vuelco en mi vida, aunque ya di tantos que no me asombra ni me conmueve mucho.

Por supuesto, todos los trabajos científicos se fueron al cuerno y ahora soy sólo un asiduo lector de Carlitos[1] y Federiquito[2] y otros itos. Me olvidé contarle que al detener-

[1] *Carlos Marx.*
[2] *Federico Engels.*

me me encontraron varios libritos de ruso, amén de una tarjeta del Instituto de Intercambio Mexicano-Ruso, donde estudiaba el idioma por problema de reflejos condicionados.

Tal vez le interese saber que mi vida matrimonial está casi totalmente rota y se rompe definitivamente el mes que viene, pues mi mujer se va a Perú a ver a su familia, de la que está separada desde hace 8 años. Hay cierto dejo amarguito en la ruptura, pues fue una leal compañera y su conducta revolucionaria fue irreprochable durante mis vacaciones forzadas, pero nuestra discordancia espiritual era muy grande y yo vivo con ese espíritu anárquico que me hace soñar horizontes en cuanto tengo "la cruz de tus brazos y la tierra de tu alma",[1] como decía Pablito.

Me despido. No me escriba hasta la próxima que será con más noticias, por lo menos con domicilio fijo.

Reciba el siempre cariñoso abrazo de su amigo

Ernesto

[1] *Se refiere al poema de Pablo Neruda "Una canción desesperada".*

Notas del periódico Excelsior

19 de los Extranjeros Detenidos Salen Libres

Sólo Quedan Presos Ruz, Guevara y Otros que sí Violaron la ley

Diecinueve de los extranjeros detenidos por la conjura para asesinar al general Fulgencio Batista, Presidente de Cuba, fueron puestos en libertad por la Secretaría de Gobernación, ayer a las 20 horas, pero sujetos a vigilancia especial mientras se decide qué se hará en cada caso.

El subsecretario del ramo, licenciado Fernando Román Lugo, informó lo anterior, y señaló que la liberación condicionada se concedió después de que cada uno de los conspiradores declaró nuevamente y se levantó el acta respectiva.

Agregó que la Secretaría, en este caso, ha ajustado todos sus actos a la Ley General de Población, y que ha procedido de acuerdo con las facultades de que está investida en materia migratoria.

Gobernación ordenó la libertad de los detenidos, previa comprobación de que aun estaban dentro del plazo que les otorga la ley para permanecer en el país, al que entraron como turistas.

Solamente quedaron detenidos el licenciado Fidel Castro Ruz, Ernesto Guevara, Calixto García y Santiago Hirzel, por estar probado que violaron flagrante y ostensiblemente la Ley General de Población, pues aun cuando solamente podían permanecer en México seis meses, llevaban casi un año en el país, y en estos casos la Secretaría procederá de acuerdo con sus facultades.

A LAS 17:30 EMPEZARON LAS DILIGENCIAS

Las diligencias para poner en libertad a los detenidos se iniciaron desde las 17:30 horas, en la Estación Migratoria de las calles de Miguel E. Schulz 136, con la presencia de los funcionarios autorizados por la Secretaría, y previa comunicación a los liberados, de que todos sus actos deberán ajustarse a la Ley, y que su salida estaba condicionada a estricta vigilancia de sus actos y las medidas que habrán de tomarse por considerarlas pertinentes, en su oportunidad y en cada caso.

Es decir, que quedan sujetos a las leyes migratorias, independientemente de la acción que deba ejercerse posteriormente por las actividades que dieron motivo a su detención y que comprenden otro aspecto en el terreno delictuoso.

Más Aprehensiones de Conjurados Cubanos que se Dice Tenían Apoyo de Comunistas

El Coronel Bayo Giroud Está Dispuesto a Entregarse y a Responder de Todo el Plan

Importantes detalles arrojaron ayer las investigaciones acerca de la conjura para derrocar al Presidente de Cuba, Fulgencio Batista, cuya muerte también fué planeada.

1o.—El movimiento revolucionario para el cual eran preparados aquí en forma secreta técnicos y oficiales, fué patrocinado o inspirado por organizaciones comunistas, según la DFS.

2o.—Seis conjurados más, cubanos, han sido detenidos por la Dirección Federal de Seguridad, que se negó a confirmar oficialmente el dato.

3o. El líder Fidel Alejandro Castro Ruz y su hermano Luis, intentaron ampararse contra la aprehensión, el día de su captura.

4o. El coronel español Alberto Bayo Giroud —prófugo que está señalado como preparador militar del grupo sedicioso—, está dispuesto a entregarse a la policía y se hace responsable del movimiento descubierto aquí.

5o. La DFS amplió sus investigaciones "hasta capturar a otra treintena de conjurados que figura en una lista que fué hallada en poder de Castro Ruz", así como para conocer los alcances del movimiento.

UN MEDICO ARGENTINO LIGADO CON COMUNISTAS

Concretamente, la DFS reveló anoche que el médico argentino Ernesto Guevara Serna, es el principal nexo que tenía el grupo de conjurados cubanos, con ciertas organizaciones comunistas de tipo internacional.

(Guevara Serna se halla en México desde 1955, a raíz de que fué expulsado junto con un grupo de políticos guatemaltecos, tras de la caída del ex Presidente de Guatemala Jacobo Arbenz.

El doctor Guevara —quien también ha figurado en otros movimientos políticos de carácter internacional en la República Dominicana y en Panamá— fué identificado por la DFS como "miembro activo del Instituto de Intercambio Cultural Mexicano-Ruso".

Guevara Serna, en la fracasada conjura descubierta aquí, era el jefe de personal del grupo "26 de Julio".

Al decir de unos investigadores, cuyos nombres no se nos autorizó a revelar, "existen entre los detenidos otros agentes del comunismo internacional y se sospecha que el grupo "26 de Julio" era copatrocinado por comunistas y cubanos".

MAS CONSPIRADORES CUBANOS DETENIDOS

Aun cuando los altos funcionarios de la DFS se negaron a "confirmar oficialmente" la aprehensión de más conspiradores, en los círculos policíacos se insinuó anoche que habían sido aprehendidos otros seis cubanos, entre ellos los hermanos Erasmo y Efrén Rivera Flores. El primero, propietario del Rancho de Santa Rosa, localizado en Ayapango, jurisdicción de Chalco, Méx., donde los cubanos sediciosos eran preparados militarmente para una futura revolución que debería estallar dentro de mes y medio. El segundo, es propietario de un automóvil Chevrolet modelo 1939 con placas 7-91-56 que le fué recogido de las cercanías del "Rancho Base". Efrén Rivera Flores tiene su domicilio en Dr. Jiménez número 164, casa que está abandonada.

Sin embargo, "extraoficialmente" un alto funcionario insinuó "que tal vez habría en los separos unos tres o cuatro detenidos más, cuya relación con la conjura todavía no queda plenamente comprobada".

LOS CONJURADOS ESTAN SENTENCIADOS A MUERTE

La aprehensión de los 22 conspiradores cubanos y el fracaso de su plan fué producto de invetigaciones minuciosas todos ellos se han negado a revelar datos a la policía.

Lo anterior, al decir del director de la DFS, coronel Leandro Castillo Venegas y del capitán Fernando Gutiérrez Barrios que dirigió las investigaciones, se debe a que todos ellos "están sentenciados a muerte por Castro Ruz".

La libertad se concedió a las siguientes personas: Luis Crespo Castro, José Raúl Vega, Alberto Bayo Cosgaya, Aguedo F. Aguilar Rodríguez, Tomás Electo Pedroza Pinto, Celso Maragotto Lara, Rolando Santana Reyes, Oscar Rodríguez Delgado, Cándido González Mireles, José Almeida Bolque, Reinaldo Benítez Nápoles, Ciro Redondo García, Santiago Díaz González, Eduardo Roig Castellanos, Arturo Chaumont Portocarrero, Ricardo Bonachea Ferriol, Horacio Rodríguez Hernández, Universo Sánchez Alvarez y María Antonia González.

Los liberados, acompañados por sus defensores, abandonaron ayer la Estación Migratoria.

LA DEFENSA TRATARA DE LIBERAR A LOS OTROS

Ayer mismo, el licenciado Ignacio Mendoza Iglesias, que encabeza a los defensores de los conspiradores, y que presentó las demandas a nombre de éstos, ante el juez federal Lavalle Fuente, expresó que continuaría sus actividades para lograr la libertad de Castro Ruz, Guevara, García y Hirzel.

Señaló que estos cuatro, lo mismo que los diecinueve liberados, se encuentran amparados por el juez primero penal de Distrito, y que exigirá que se cumpla tal resolución judicial, pues Gobernación persiste en violar la protección federal de la justicia otorgada a sus defensos.

Calcula la policía que el grupo "26 de Julio" había invertido ya poco más de medio millón de pesos en armas, cartuchos, dinamita y otros explosivos, para el adiestramiento de los 50 "futuros oficiales" que más tarde dirigirían la revolución contra Batista.

Ayer, en el despacho del coronel Castillo Venegas fué concentrado parte del armamento que utilizaban los cubanos en sus prácticas en el Rancho de Santa Rosa.

Allí, figuran los tres fusiles militares 30-06 de fabricación nacional, que son motivo de mayor preocupación para la DFS, dado que tales armas no están en venta en las armerías locales.

Al respecto, el capitán Gutiérrez Barrios indicó que se ahondarán las investigaciones, inclusive desde que tales fusiles salieron de la Fábrica Nacional de Armas.

Empero, insinuó que armas de ese tipo se hallan en poder de deportistas tiradores pertenecientes a ciertos clubes registrados oficialmente y que tal vez, por ese medio las adquirieron.

BAYO GIROUD, DISPUESTO A ENTREGARSE A LA POLICIA

Por otra parte, se afirmó extraoficialmente que el prófugo coronel español Alberto Bayo Giroud —veterano de la guerra civil española que adiestraba a los cubanos en Santa Rosa— envió una carta a la DFS, en la que dice "estar dispuesto a entregarse" y menciona a Fidel Castro Ruz como un "simple director político del grupo, cuyas actividades no tienen por que ser penalizadas".

(El hijo del coronel Bayo Giroud, el piloto aviador Alberto Bayo, también se halla detenido, según confirmación de la DFS).

Reveló el capitán Gutiérrez Barrios, que en el reglamento para "Residencias" elaborado por Castro Ruz se menciona, que "cualquier delación o indiscreción queda penada por la muerte". En ese reglamento, recogido de la casa de Emparan 49, también se detalla que los conjurados "deben obrar en forma independiente y evitar sostener entrevistas en público". Esto es, que jamás deberían ser vistos en grupo.

El golpe policíaco fué dado en forma repentina, y por ello se encontró la lista de los integrantes del Grupo Liberal "26 de Julio".

Las aprehensiones fueron realizadas por el capitán Gutiérrez Barrios y los jefes Luis Bazet Marín y Fausto Morales Juárez, así como los agentes Jesús Villaseñor Ramírez, Fernando González Gutiérrez, Julio Couttolene Cortés y Juan Orozco González.

Por su parte, el subdirector de la DFS, licenciado Suárez Torres ratificó que "se presume que el movimiento contra Batista tiene ramificaciones".

Posiblemente, en el curso de las investigaciones será recogido más armamento.

Suárez Torres dijo que en una plática con Castro Ruz, éste le indicó que "existen varios millones de dólares, en armas ocultas en Cuba".

PIDIERON AMPARO FIDEL Y LUIS CASTRO RUZ

Ayer se informó en el Juzgado Segundo Penal de Distrito, que Fidel Alejandro Castro Ruz y su hermano menor Luis, solicitaron amparo el pasado 21 del actual, contra su aprehensión. Ese mismo día, a las 12 horas, Castro Ruz fué capturado junto con otros cuatro cubanos. En la demanda de amparo los Castro Ruz aseguraban que "estaban en Mé-

Hago constar de Agencia Latina

SERVICIO LATINO AMERICANO DE NOTICIAS
SUCURSAL EN MEXICO
AVENIDA MORELOS 37 - 219
MEXICO, D. F.

(Información radiotelegráfica diaria)

A QUIEN CORRESPONDA.

Por la presente hacemos constar que el señor Ernesto Guevara Serna estuvo trabajando como Redactor de esta Agencia durante todo el año de 1954, habiendo demostrado toda honradez y capacidad, habiendo dejado su cargo por haber terminado sus funciones esta organización.

México, D.F., a 20 de junio de 1955.

Índice

Esta edición de 8.000 ejemplares
se terminó de imprimir en
Indugraf S. A.,
Sánchez de Loria 2251, Bs. As.,
en el mes de octubre de 2000.

Esta edición de 5.000 ejemplares
se terminó de imprimir en
Indugraf S. A.,
Sánchez de Loria 2251, Bs. As.,
en el mes de octubre de 2000

Ernesto Che Guevara

PASAJES de la GUERRA REVOLUCIONARIA: CONGO

El diario inédito del Che

Editorial Sudamericana

Ricardo Rojo

Mi amigo el Che

Editorial Sudamericana

La vida del CHE

JEAN CORMIER

con la colaboración de

HILDA GUEVARA y ALBERTO GRANADO

MÍSTICA Y CORAJE

EDITORIAL SUDAMERICANA